EMI

i Tajny Klub Superdziewczyn

Kółko hiszpańskiego

Agnieszka Mielech

EMI
i Tajny Klub Superdziewczyn

Kółko hiszpańskiego

Ilustracje
Magdalena Babińska

WILGA

Kto jest kim

Emi

Tata Emi

Mama Emi

Czekolada

Laura Zwiędły

Flora Zwiędły

Konstancja

Aniela

Faustyna

Pani Flamenko

Gaduła

Pucuś

Konstanty

Stefan

Najważniejszym dziewczynom mojego życia:
moim siostrom — Justynie i Uli
oraz Agatce i Poli, Oli,
Oli i Basi.

NA SCENIE.
DRŻYJ, PIERWSZA KLASO!

Przyszła późna wiosna, a wraz z nią koniec naszej zerówki. Uroczyste zakończenie roku miało się odbyć
w teatrze. Tak. W najprawdziwszym teatrze. W pro-
gramie był także pokaz baletowy, a ja dostałam główną rolę białego łabędzia! Mieliśmy też śpiewać piosenki
angielskiego zespołu, który od dawna nie istnieje. Tata
mi powiedział, że to The Beatles*.

---

* The Beatles – zespół muzyczny z Anglii, który w latach 1960–1970
grał rock and rolla. Członkowie zespołu – John Lennon, Paul McCart-
ney, George Harrison i Ringo Starr – to prawdopodobnie najpopularniej-
si muzycy wszech czasów.

– Piosenki Beatlesów są wieczne! – Tata zatarł ręce z radości, kiedy tylko o tym usłyszał, i zaczął... koncertować.

Gdy doszedł do dziesiątej piosenki i chodził po domu, wykrzykując: *Michelle, ma belle**, mama nie wytrzymała:

– Z tego, co wiem, Beatlesów było czterech. Ciebie w zespole nie było. Poza tym widziałam na mieście plakaty – jeden z muzyków będzie u nas koncertował.

– Pójdziemy? – wykrzyknęłam.

– Co? Tak? Nie! Nie wiem! No... może? Zobaczymy – plątał się w zeznaniach tata i w końcu przestał się wydzierać.

Tymczasem przygotowania do naszego koncertu szły pełną parą. Na widowni mieli zasiąść rodzice i rodzeństwo, dziadkowie, no i znajomi. Czekało nas mnóstwo roboty na koniec roku, a nie wszyscy z grupy byli tym zachwyceni.

Za to mama była zadowolona.

– Uwielbiam teatr Bajka! Będę na pewno – zapowiedziała.

Postanowiłam też zaprosić panią Zwiędły i Florę. To był pomysł mega! Niech Flora wreszcie się przekona, co potrafią zerówkowicze. Drżyj, pierwsza klaso!

---

* *Michelle, ma belle* – piosenka zespołu The Beatles z płyty *Rubber Soul*.

– Przedstawienie w teatrze Bajka? Pomysł dla dzieciaków! – prychnęła Flora, kiedy wręczyłam jej zaproszenie.

– Florciu, grupa Emi zaśpiewa Beatlesów. To wspaniały pomysł – zachwycała się pani Zwiędły. I natychmiast zaintonowała piosenkę, którą lubiłam najbardziej: – *Yellow Submarine.*

Flora zrobiła kocie oczy i zatkała uszy. Rzecz jasna nie wierzyła, że zerówka może przygotować świetny występ. A to było banalne! Próby do spektaklu odbywały się już drugi miesiąc na lekcjach rytmiki i pianina. Aż Alan i jego grupa w końcu się zbuntowali i wywalczyli tydzień przerwy.

Im bliżej było do występu, tym bardziej byliśmy przekonani, że pójdzie nam jak z płatka. Planowaliśmy też niespodziankę – na zakończenie przedstawienia mieliśmy zaśpiewać słynną piosenkę *Hey! Teachers! Leave us, kids, alone.* Co znaczy: „Hej, nauczyciele, zostawcie nas, dzieciaki, w spokoju!". To na pewno spodoba się Florze! Byłam więc spokojna o powodzenie naszego spektaklu.

Kiedy przyszedł dzień występu, pojechaliśmy autokarem do teatru Bajka. Pojechaliśmy: my, dzieciaki z zerówki, nasze panie i mnóstwo kostiumów. Goście mieli dojechać sami.

Teatr był ogromny i pełen zakamarków. Po raz pierwszy znaleźliśmy się za kulisami, czyli po prostu za sceną.

Przydzielono nam specjalny pokój, zupełnie niewidoczny dla publiczności, gdzie mogliśmy się przebrać. Taki pokój nazywa się garderobą. Jest w niej mnóstwo luster – nie takich zwykłych, ale oświetlonych ze wszystkich stron żarówkami. Przed każdym lustrem stoi fotel, jak u fryzjera. Siadaliśmy kolejno w fotelach, a pani od rytmiki robiła nam prawdziwy teatralny makijaż. Mega i przefajnie! W końcu byliśmy tego dnia prawdziwymi aktorami. A każde z nas miało bardzo różowe policzki, długie zakręcone rzęsy i sztywne od lakieru włosy.

Do spektaklu zostało zaledwie kilka minut. Zebraliśmy się wszyscy przy kurtynie.

– Powodzenia, cudaki! – Pani uściskała każdego z nas bardzo mocno i pozwoliła nam wyjrzeć dyskretnie przez ciężką kurtynę.

– Widzę moich rodziców! – krzyknęła uradowana Aniela.

– O, mój tata już jest! Wyrwał się z pracy! – ucieszyła się Bianka.

– I mój! I moi! – rozlegały się zewsząd głosy.

Ja też wystawiłam nos na zewnątrz i rozglądałam się uważnie. Nie zobaczyłam jednak ani mamy, ani taty – za to w pierwszym rzędzie siedziały pani Laura i Flora. Pani Zwiędły wybijała się wyraźnie z tłumu gości. Założyła wściekle różową marynarę, która z daleka prawie świeciła. Kok upięty na czubku głowy sterczał wysoko ponad innymi głowami. Flora wyglądała jak kremowa beza. Była w tej samej tiulowej sukni, którą miała na sobie na balecie *Kopciuszek*, kiedy to śledziłyśmy profesora Kaganka.

Stare dzieje. Westchnęłam i nadal czujnie rozglądałam się za rodzicami.

I wciąż się zastanawiałam, jakim sposobem pani Laura przekonała Florę do tego stroju. Widać, miała swoje sposoby.

– Za dwie minuty zaczynamy! – oświadczyła pani i wszyscy ustawili się parami przed wejściem na scenę.

– Emi, startujesz jako pierwsza. Skup się. – Pani siłą odciągnęła mnie od kotary, przy której uparcie tkwiłam.

– Moi rodzice jeszcze nie dotarli – poskarżyłam się.

Pani przytuliła mnie, za to Bianka wykrzywiła się i oznajmiła:

– *Show Must Go On!* Jakbyś nie wiedziała, oznacza to, że przedstawienie musi trwać. Mój tata tak mówi.

Posłałam jej lodowate spojrzenie. Aniela zresztą też.

Lada moment miałam rozpocząć przedstawienie. Nagle poczułam, że jest mi bardzo gorąco i że ogromnie się pocę. Pani wręczyła mi mikrofon. Przycisnęłam go do siebie drżącymi rękami. Kurtyna rozsunęła się, a ja powoli wyszłam na środek sceny.

Widziałam przed sobą dziesiątki twarzy, a wokół migoczące światła. Wszystko wydawało mi się takie ogromne. Zaschło mi w gardle! Pomyślałam, że nie wyduszę z siebie ani słowa.

Stałam więc sobie pośrodku sceny, a ogromne reflektory oświetlały mnie ze wszystkich stron. Z boku dobiegało mnie syczenie i chrząkanie. Rozejrzałam się.

To pani od rytmiki nerwowo dawała mi znaki, żebym zaczęła mówić do mikrofonu. Ale mój głos za nic nie chciał uwolnić się z gardła. Pokazałam więc pani na swoje gardło i przecząco pokręciłam głową.

„Mega. To będzie klops, a nie przedstawienie" – przeszło mi przez myśl.

Wtedy ktoś w pierwszym rzędzie zerwał się i zaczął bić brawo. Za chwilę dołączyli inni i już klaskała cała sala.

„Ups – pomyślałam zawstydzona. – Nic jeszcze nie powiedziałam, a oni biją brawo".

Przyjrzałam się uważniej pierwszemu rzędowi – to przecież pani Laura w różowej marynarce, a obok niej Flora cała w tiulach. Stały i klaskały.

„Weź się w garść, Emi. – Uszczypnęłam się w ucho. Jak przed moim pierwszym egzaminem do szkoły. – No, dalej! Nie możesz przynosić wstydu Tajnemu Klubowi!".

Mój głos chyba przyjął to do wiadomości, bo nagle usłyszałam, jak recytuję do mikrofonu! Głośno i wyraźnie:

Szanowni goście! Witajcie!
Nasze panie, rodzice, dziadkowie i babcie!
W zerówce dzisiaj jest koniec roku.
Pokażemy wam, jak uczyliśmy się krok po kroku.

Czeka was wielki pokaz walk karate,
Odważnych rzutów tysiąc na matę.
Tancerze wykręcą piruety zgrabne,
Indiańskie pląsy mogą być zabawne!
Wielkie przeboje też zaśpiewamy
I o znajomość języków obcych zapytamy.
A więc szanowni goście – do zobaczenia
I w pierwszej klasie życzcie nam powodzenia!

Skończyłam i odetchnęłam z ulgą. Udało się! Ja, szefowa Tajnego Klubu Superdziewczyn, opanowałam swoją pierwszą w życiu tremę!

Na scenę wybiegły kolejno grupy aktorów. Najpierw chłopcy w czarnych kostiumach z kolorowymi pióropuszami na głowach. Potem dziewczyny w zielonych bluzkach i kolorowych spódnicach. Wokół bioder wirowały im upięte spódnice z wyschniętych traw. Wszystkie miały warkocze, a w nich żółte wstążki. Wyglądały jak zastęp Pocahontas.

Dzieciaki ustawiły się w dwóch rzędach. Po chwili dołączył do nich pan od karate. Miał na sobie biały strój i przewiązany był czarnym pasem. To znaczy, że osiągnął już poziom mistrzowski. Alan twierdzi, że ma już trzeci dan!

Wszyscy unieśli lewe ręce i prawe nogi i z krótkim okrzykiem ruszyli w kierunku publiczności. Pan wydał jeszcze kilka komend, po czym ukłonił się i zniknął. Aktorzy pozostali na scenie w bezruchu. Zabrzmiały pierwsze takty muzyki. Pierwszy rząd dziewcząt zaczął powoli kołysać biodrami na boki, a potem wirował już coraz szybciej i szybciej. Dołączyli do nich też chłopcy. Wtedy ja wybiegłam na środek sceny i stanęłam pomiędzy dwiema grupami. Miałam na sobie kostium podobny do tych z baletu *Jezioro łabędzie* – białe obcisłe body i białą sztywną spódnicę z tiulu, która bardzo zabawnie się nazywa – tutu (albo paczka). Zaczęłam swój występ od pierwszej pozycji, potem wykonałam drugą i trzecią, po czym przeszłam do piruetów.

I nagle – klops! Gumka lewej baletki strzeliła i pantofel został daleko za mną. Mega! Co teraz będzie? Baletnica w jednym bucie! Niewiele myśląc, zdjęłam drugą baletkę i odrzuciłam na bok. Będę tańczyć boso! Po kilku minutach dołączył do mnie Alan. Nie do wiary, że popisowy taneczny numer wykonywałam właśnie z nim!

Ależ on się zmienił od czasu wyjazdu do Piernikowej Chaty! Teraz występował w roli czarnego łabędzia, miał na sobie obcisły kombinezon i krążył dookoła mnie, wykonując skoki i obroty. Zaprezentowaliśmy jeszcze kilka figur i obrotów, po czym zniknęliśmy za kurtyną. Za nami podążyli Indianie i dziewczyny w spódnicach z kolorowych traw. Publiczność nagrodziła nas brawami.

Za kotarą był ścisk i pisk. Pani porwała mnie w ramiona i wycałowała. To nie spodobało się Biance. Wiedziałam dlaczego. Liczyła, że to ona dostanie rolę białego łabędzia.

– *Show Must Go On!* – syknęła mi do ucha.

Nie przejmowałam się tym wcale. Wzięłam tylko łyk wody i zabrałam się za zakładanie kostiumu do kolejnego przedstawienia.

Zbiegaliśmy ze sceny jeszcze trzy razy, aż na koniec mogliśmy założyć własne ubrania.

Uff… Zbliżał się nasz popisowy numer o nauczycielach. Na scenie ponownie pojawił się pan od karate. Alan wbiegł zaraz za nim i podał mu prawdziwą elektryczną gitarę. Pan szarpnął kilka razy struny i po chwi-

li zabrzmiała muzyka. Chłopaki też chwycili za gitary. Na scenie leżały pompowane instrumenty, ale jestem pewna, że nikt się nie domyślił, że nie były prawdziwe. Po chwili dołączyły dziewczyny i wkrótce potem już cała sala śpiewała: *Hey! Teachers! Live us, kids, alone.* Kątem oka zobaczyłam, że publiczność szaleje. Pani Laura wywijała różową marynarką, która zgrabnie przelatywała nad głowami innych widzów. Po prostu m e g a.

Po skończonym spektaklu zebraliśmy się wszyscy w korytarzu przed wejściem na salę teatralną – to miejsce nazywa się foyer. Pani Laura i Flora błyskawicznie wyłowiły mnie z tłumu.

– Emilio! Moje gratulacje! Świetne show! – sapiąc, wykrzyknęła pani Zwiędły i wyściskała mnie ze wszystkich stron. Nie zareagowałam na Emilię, bo wciąż z trudem łapałam oddech po szaleństwach na scenie.

– Byłaś... no, niesamowita! – oświadczyła Flora i dziarsko klepnęła mnie w plecy. Tak dziarsko, że zatoczyłam się do tyłu i wpadłam na... pana od karate. Ten odwrócił się do nas i natychmiast zwrócił się do pani Laury:

– Pani ma prawdziwy sceniczny temperament. Chylę czoła.

– Laura Zwiędły. – Mama Flory wyciągnęła w jego kierunku dłoń.

Pan od karate ujął ją szarmancko, pocałował i, patrząc prosto w oczy pani Zwiędły, powiedział:

– Sambor Karp.

– Nie wierzę! – syknęła mi do ucha Flora. – Karp?

Ale jej mama posłała mu uroczy uśmiech i wyznała:

– Byłam solistką w studenckim zespole. Dawne dzieje.

– Jaka szkoda, że porzuciła pani scenę. To pani przeznaczenie – skomentował to pan od karate.

– A jaka jest pańska profesja? – zapytała pani Laura.

– Uczę dzieciaki sztuk walki – odrzekł. – W wolnych chwilach prowadzę młodzieżowy zespół muzyczny Samotne wilki – mocne rockowe granie.

MEGA! Tego nie wiedziałam o panu od karate! Spojrzałam na niego z uznaniem.

– Naprawdę? Samotne wilki? Mój zespół nazywał się Cyklady – zapaliła się mama Flory. I pogrążyli się w rozmowie.

– Spadamy stąd! – szepnęła do mnie znudzona Flora.

Nie uszłyśmy jednak daleko, bo za plecami usłyszałyśmy gorączkowe krzyki.

– Emi! Szukamy cię po całym teatrze! – To mama i tata przeciskali się w naszym kierunku, pokonując tłumy babć, cioć i młodszego rodzeństwa plączącego się między nogami. Wreszcie stanęli przed nami.

– Jesteście spóźnieni – zauważyłam.

– Byliśmy prawie od początku przedstawienia – wysapała mama. Tata wręczył mi bukiet konwalii i rzekł przepraszająco:

– Omyłkowo pojechaliśmy do innego teatru. Też Bajka. Tyle że na końcu miasta. Ale słowo: zdążyliśmy! I obejrzeliśmy cały spektakl.

– Banalne. – Skrzywiłam się. – *Show Must Go On*.

– A więc koniec zerówki – wtrąciła się mama. – Czas do szkoły!

– Nie tak szybko. W międzyczasie wakacje – zaznaczył tata.

Flora, która grzecznie stała obok, zauważyła:

– Nie ma czegoś takiego jak „międzyczas", proszę pana.

Tata ze zdziwienia zrobił wielkie oczy i zamilkł.

A Flora dodała z rozmarzoną miną:

– Franek tak uważa.

Ku nam sunęła już pani Zwiędły.

– Kochani! Wasza córka to zwierzę sceniczne! – radośnie wykrzyknęła na widok mamy.

– Ja nie jestem zwierzę! Jestem Emi – zaprotestowałam.

– Ależ, kochanie, pani Laura ma jedynie na myśli, że świetnie ci poszło na scenie – wyjaśniła spokojnie mama.

– A ty, Rysiu, co sądzisz o występie Emi? – zwróciła się do taty pani Laura.

Tata skrzywił się i odrzekł:

– Lauro, znamy się od dawna, a ty nadal nie pamiętasz mojego imienia.

Postanowiłam włączyć się do rozmowy.

– Tata nazywa się Jakub, proszę pani. To banalne – oświadczyłam donośnie i przeliterowałam: – Jot-A-
-Ka-U-Be.

– Tak, nasz Rysio ma wspaniałe biblijne imię. – Pani Zwiędły uśmiechnęła się łobuzersko. – A teraz zapraszam wszystkich do kawiarenki „Cynamon". Musimy uczcić koniec roku!

Poszliśmy więc do „Cynamonu" na lody czekoladowe z wiśniami i słodziutkie bezy. Flora i ja rozmawiałyśmy o tym, jak Tajny Klub będzie działał w czasie wakacji. I ona, i Aniela mają telefony komórkowe. To jedyna szansa, że pozostaniemy w kontakcie. O ile ja wypożyczę na wakacje telefon taty. Ja, szefowa Tajnego Klubu Superdziewczyn, nadal nie miałam komórki!

JAK NIE POSZŁAM,
A POTEM POSZŁAM DO SZKOŁY

Kończyło się lato. Za kilka dni miałam iść do szkoły. Do prawdziwej szkoły! Egzaminy zdałam jeszcze wiosną. Byłam z siebie dumna: mój egzamin trwał tylko 15 minut! Inne dzieciaki egzaminowano nawet godzinę.

Wprawdzie najpierw byłam na liście rezerwowej i mama denerwowała się, że mnie nie przyjmą, ale wreszcie dostałam miejsce w klasie 1C. Mega.

– Świat stanął na głowie. Sześciolatki zdają egzaminy do szkół! – oburzał się tata.

– Tylko jeśli posyłasz dziecko do szkoły niepublicznej – tłumaczyła mama.

A pan Czapla, tata Lucka z dołu, powiedział nawet, że czuje się jak w Nowym Jorku. Mieszkał tam kilka lat, a w Nowym Jorku dzieciaki też mają egzaminy do szkół podstawowych.

Właściwie każdy miał inne zdanie na temat szkoły. Najgorsze – babcia Stanisława, ta po której mam na pierwsze imię Stan.

– Dawniej dzieci rozpoczynały naukę w wieku siedmiu lat. I cieszyły się beztroskim dzieciństwem – mówiła za każdym razem, kiedy mnie widziała. Chociaż widujemy się rzadko, bo mieszka w innym mieście, zawsze mocno zastanawiają mnie jej słowa.

– Jak skończę siedem lat, to już nie będę dzieckiem? – pytałam wtedy mamę, ale ona tylko przewracała oczami i odsyłała mnie do taty.

W końcu zaproponowała:

– Pogadaj z Flo. Ona poszła do szkoły, kiedy miała sześć lat. Dowiesz się wszystkiego o szkole z pierwszej ręki.

– Wiesz, Emka. Temat szkoły nie jest taki prosty. Ale w sumie w szkole jest nawet fajnie – przyznała Flo, kiedy wreszcie udało nam się pogadać o szkole.

– Najfajniejsza jest długa przerwa. I powiem ci coś w sekrecie: już nie lubię nosić tornistrów starszym dziewczynom. To jest wyzysk! – wyjaśniła.

I dodała filozoficznie: – Ale każdy musi przez to przejść.

Przestałam więc się zastanawiać, czy szkoła jest fajna czy nie. Zabrałam się za kompletowanie piórnika i tornistra. I to było naprawdę mega. I przefajne. Z drugiej strony było mi żal, że nie będę już na co dzień spotykać Alana czy Michasia, a nawet Bianki, którą od czasu do czasu mogłabym obdarzyć lodowatym spojrzeniem. Będziemy się uczyli w różnych szkołach. Nie byłam też pewna losu Tajnego Klubu. W czasie minionych wakacji nie znalazłyśmy żadnego nowego dochodzenia.

Na tydzień przed rozpoczęciem roku szkolnego wybuchła jednak prawdziwa bomba. Mama wróciła z Londynu z podróży służbowej i od razu zwołała tajne posiedzenie rodzinne.

– Mam wam coś ważnego do powiedzenia. Chodzi o szkołę – rozpoczęła.

– To już za tydzień! – ucieszyłam się. – Zobacz. Przygotowałam już piórnik.

– Wspaniale. – Mama tylko zerknęła na mój piórnik i ciągnęła dalej: – Szkoła jest bardzo ważna. Ale kilka miesięcy temu usłyszałam o innej metodzie nauczania niż tradycyjna. Posłuchajcie. – Tata chrząknął znacząco, ale mama, jakby tego nie słysząc, wykrzyknęła: – To szkoła w domu!

Spojrzała na mnie i na tatę.

Zrobiłam tylko wielkie oczy i zapytałam:

– Jak to szkoła w domu? Przecież nie pomieścimy tu wszystkich dzieciaków.

– Właśnie o to chodzi, że szkoła w domu jest wyłącznie dla ciebie – odpowiedziała mama podniesionym głosem.

A potem zaczęła się rozwodzić nad tym, jak rodzice sami uczą swoje dzieci. Że nie ma klas. Ani stopni. Nie ma konkurencji pomiędzy uczniami. I wszystko odbywa się w domu.

– Coraz więcej osób na świecie korzysta z takiej formy edukacji. W Anglii spotkałam dwie rodziny, które same uczą piątkę dzieci. – I oświadczyła uroczyście: – Spróbujmy i my! Będę twoją nauczycielką.

– Ale ja chcę chodzić do tej samej szkoły, do której chodzi Flora. I Aniela. I inne dzieciaki! – ryknęłam.

Wreszcie odezwał się tata:

– To może nie jest najgorszy pomysł, Emi. Miałabyś dużo czasu na rozwijanie swoich zainteresowań. Spojrzał na mamę i dodał: – Skoro mama ma tyle wolnego czasu...

Nie bardzo podobał mi się ten pomysł. Nie podobał mi się wcale.

– Myślę, że jest sporo formalności... – dodał tata po chwili.

– Czyli że może się nie udać? – zapytałam z nadzieją. Nie doczekałam się jednak odpowiedzi, bo zaraz poszliśmy spać. A od rana zaczęło się załatwianie spraw.

Mama ciągle gdzieś biegała, poznawała program klasy pierwszej i nawet kupiła tablicę. Lepszą niż w szkole, bo białą i ścieralną, i na dodatek na kółkach! Mogłam ją przewozić z pokoju do pokoju. Mega. Może nawet do łazienki!

I w ten sposób nie poszłam do szkoły. To znaczy miałam własną szkołę w domu. Było bardzo fajnie. Wstawałyśmy o dziewiątej. Potem mama uczyła mnie, jak robić śniadanie. Później gotowałyśmy obiad i wreszcie był podwieczorek. Uczyłam się też czytać – przeglądałyśmy książki. Raz była to książka kucharska, innym razem albumy taty. Już od dawna znałam alfabet, więc szło mi całkiem nieźle. Nie musiałam robić szlaczków, liczyć patyczków ani kolorować wielkich nadętych lal. I to było mega.

Minęły dwa tygodnie. Któregoś wieczoru usłyszałam, jak mama i tata rozmawiają o naszej domowej szkole:

– Nie jestem pewna, czy nadaję się na nauczycielkę – powiedziała mama i westchnęła.

– Hm? – Tata ziewnął. – A co jest nie tak?

– Nie udało mi się przerobić wiele z programu pierwszej klasy – mruknęła. – Praktycznie nie zrobiłyśmy nic.

– Taaak? – Tata znowu ziewnął. – Co robicie całymi dniami?

– Czytamy książki kucharskie i zastanawiamy się, co przygotować na obiad, przeglądamy twoje albumy. Zajęcia miały być interesujące i urozmaicone... – przyznała mama.

– O! To dlatego tak mi ostatnio smakowały obiady – zauważył tata.

– Nie było przypalonych ziemniaków. Ale przez to nie mam czasu na swoje zajęcia. Cały biznes leży odłogiem – skarżyła się mama.

– Hmm... – Tata się zasępił. – Nie chciałem cię martwić. Nie mamy jeszcze formalnego zezwolenia na domowe nauczanie. Jakoś nie mogę się za to zabrać.

– To co? Wracamy do szkoły? – wypaliła mama.

Po tych słowach wkroczyłam do kuchni.

– Mówicie o szkole? O m o j e j szkole? – huknęłam.

– Taaak – bąknął tata. – Rozmawiamy o tym, czy w naszym przypadku klasyczna szkoła nie byłaby jednak lepsza.

– Może nie jest jeszcze za późno, abyś dołączyła do 1C? – niepewnie dodała mama.

– Mega! – ucieszyłam się. – Tutaj, w domu nauczyłam się już wszystkiego. Umiem zrobić śniadanie i zakupy w warzywniaku na dole... Ale Flo śmieje się ze mnie, że nadal jestem przedszkolakiem.

– Widzisz, Emi. Kształcenie dzieci w domu odbywa się od ponad tysiąca lat. A ostatnio przeżywa renesans... – zaczął tata.

– Rene... co? – zdziwiłam się.

– Renesans to znaczy odrodzenie albo powrót do czegoś. A co do szkoły: odkąd dzieci zaczęto posyłać do szkół, taki sposób przekazywania wiedzy stał się bardziej popularny. Dzieciom przekazują wiedzę nauczyciele, a rodzice zajmują się swoimi sprawami. Mama, ty i ja chyba nie jesteśmy jeszcze przygotowani na naukę w domu – wytłumaczył tata.

– Więc jak? Idę do szkoły? Jutro? – zapytałam. Super! Będę miała najfajniejszy piórnik w całej klasie!

– Tak jest – zawołała dziarsko mama. – Jutro wpadnę do pani dyrektor i dowiem się, czy nadal masz miejsce w 1C.

Następnego dnia okazało się jednak, że nie ma już dla mnie miejsca w 1C.

– Spóźniliśmy się – wykrztusiła przepraszająco mama. – Kogoś już przyjęto.

– Ktoś zajął moje miejsce. To nie jest sprawiedliwe – podsumowałam. Naprawdę byłam smutna.

Mama nie zamierzała się poddawać.

– Nawarzyłam piwa, muszę więc znaleźć wyjście z tej sytuacji.

W piątek się okazało, że mogę jednak iść do szkoły. Jakaś dziewczynka niespodziewanie wyjechała z rodzicami do Anglii i zwolniło się miejsce. Wprawdzie nie w 1C, tylko w 1D, ale w sumie to nawet bardziej mi się podoba litera D. I na dodatek w tej klasie jest Aniela! Ale mi się udało! Jest m e g a!

Przez cały weekend przygotowywałam się do szkoły. Robiłam szlaczki i pisałam cyfry. Potem obłożyłam zeszyty i starannie je podpisałam: EMI GACEK, KLASA 1D.

W poniedziałek, wystrojona w granatową spódnicę i białą bluzkę (feeee… z guzikami! Ale to nic – najważniejsze, że idę do szkoły!), popędziłam w towarzystwie mamy do szkoły. Weszłyśmy głównym wejściem, tym zarezerwowanym tylko dla uczniów i nauczycieli podstawówki. Ukłoniłam się obcemu panu w granatowym mundurze, który stał przy drzwiach.

– Kto to? – spytałam mamę.

– Za moich czasów to był pan woźny, ale wygląda na to, że dzisiaj to pan ochroniarz – wyjaśniła.

Skierowałyśmy się prosto do gabinetu dyrekcji. Ja zostałam pod drzwiami. Nie byłabym jednak szefową Tajnego Klubu, gdybym tylko tak siedziała i marnowała czas. Zaraz wyciągnęłam z torby mój podręczny sprzęt do podsłuchiwania – plastikowy niebieski kubek ze starannie wyrysowanym logo Tajnego Klubu. Sprawnie przyłożyłam go do drzwi.

Najpierw doleciały do mnie same szumy, ale zaraz potem zaczęłam łowić prawie pełne zdania.

– Państwo... kłopoty. Zmiany... są... dziecka... niekorzystne... integracja... – mówił obcy głos.

– Szkoła... nie zrobiła wszystkiego, aby... program... – to mama.

Coś jeszcze usłyszałam o zrozumieniu, pomocy i innych skomplikowanych rzeczach. Po chwili drzwi zostały energicznie otwarte. Stanęła w nich jakaś pani. Domyśliłam się, że to właśnie pani dyrektor. Nie zdążyłam nawet ukryć mojego specjalistycznego sprzętu. Mój podsłuchiwacz wypadł na podłogę i potoczył się prosto pod jej nogi. Ups! Niedobrze. Pani dyrektor zręcznym ruchem podniosła sprzęt z ziemi i, oglądając go ze wszystkich stron, powiedziała:

– Cóż to za interesujące urządzenie. – Mama spojrzała na mnie piorunującym wzrokiem.

– A więc to jest Stanisława Emilia Gacek. – Pani dyrektor popatrzyła na mnie i podała mi mój niebieski kubek.

– Ufff... – Odetchnęłam z ulgą, bo znalezienie drugiego takiego podsłuchiwacza zajęłoby mi kilka tygodni.

– Emi, zostawiam cię w rękach pani dyrektor. Widzimy się po południu. – Mama pożegnała się ze mną i tyle ją widziałam. W towarzystwie pani dyrektor powędrowałam do mojej klasy.

Na tablicy powitał mnie wielki napis: WITAJ!

– Mega! – ucieszyłam się. Wiedzieli, że przyjdę.

Pani dyrektor przedstawiła mnie mojej pani i całej klasie, a potem zniknęła. Przyjrzałam się pani. Miała bardzo ciemne włosy zaplecione w gruby warkocz. Była ubrana w niebieską bluzkę z falbankami i czarną spódnicę. Wyglądała tak miło! Dostałam ławkę blisko niej. Obok mnie siedział chłopak, który nazywa się Alex. Ma całkiem białe włosy i ciągle się śmieje. Nie ma dwóch zębów z przodu i wygląda bardzo zabawnie. Poza nim w klasie jest siedmiu innych chłopaków i siedem dziewczyn. No i ja. Czyli jest nas szesnaścioro. Jedna dziewczynka, której imienia nie pamiętam, wręczyła mi bransoletkę z bilecikiem

„Dla Emilii". Trochę dziwnie. Przecież mnie nie zna! Czekałam z niecierpliwością na to, co w szkole jest najfajniejsze – na długą przerwę. Może spotkam Florę?

Wreszcie dzwonek! Długa przerwa! Było jednak inaczej, niż się spodziewałam. Nasza pani ustawiła nas parami. Ja stałam z Aleksem. Potem wyruszyliśmy szerokim korytarzem do stołówki na obiad. Dostaliśmy zupę i drugie danie. Nie byłam szczęśliwa, bo dzisiaj były ziemniaki, których nie cierpię. Nagle ktoś uderzył mnie w plecy z taką siłą, że o mało się nie przewróciłam.

„Świetnie – pomyślałam. – Zaczyna się. Pewnie będę nosić tornistry starszym dziewczynom".

Odwróciłam się i zobaczyłam... Flo. Ubraną no... elegancko. Inaczej niż zwykle. W granatowy sweter i szarą spódnicę.

– Czemu masz taką przerażoną minę? – zapytała, śmiejąc się.

– Ech! No wiesz, wyglądasz tak... poważnie – wymruczałam zawstydzona.

– Masz na myśli to? – spytała Flo, rozciągając sweter. – Ee, to pomysł mojej mamy. Ja wolałabym chodzić w bluzie i legginsach.

Przyjrzałam się jej uważnie. Flo miała na piersi naszą odznakę. Odznakę Tajnego Klubu, którą nosimy tylko wtedy, kiedy jesteśmy w akcji.

– Co się dzieje? – Dotknęłam odznaki.

– Ciiii… – odpowiedziała Flo i pociągnęła mnie na korytarz. – Akcja! Emi, chyba jest nowa sprawa. Na ostatniej lekcji masz kółko hiszpańskiego. Prowadzi je pani Flamenko. Tak ją nazywamy. Naprawdę nazywa się Gloria Carlos Flamenko… Myślę, że pani Flamenko coś ukrywa! Przypatrz się jej.

– Ale kiedy w szkole trzeba… no wiesz, grzecznie – wykrztusiłam.

– Ej, Emka. Bądź dorosła. Jest nowa tajemnica. Pani Flamenko zachowuje się bardzo dziwnie. Kiedy podchodzisz do jej biurka, wstaje i zaczyna nerwowo krążyć wokół niego. Nikogo do niego nie dopuszcza – wytłumaczyła mi Flora.

Nagle usłyszałam za sobą głos naszej pani:

– Emilio, dołącz do swojej klasy. Pierwszaki siedzą razem.

Posłusznie wróciłam i wspólnie z 1D skończyłam obiad, czyli porcję paskudnych ziemniaków. Jeszcze tylko WF, zajęcia z tańca i... kółko hiszpańskiego! Czekam niecierpliwie, aby poznać panią Flamenko.

No i pierwszy dzień w szkole dobiegł końca. Wieczorem byłam po prostu wykończona. A mama i tata jakby o tym nie wiedzieli! Nie dawali mi spokoju i wciąż wypytywali o wszystko. Jak moja klasa? Gdzie siedzę? Co było na obiad? Jak mi się podoba? Jak. Jak. I jak. Kiedy prawie już nic nie słyszałam, a oczy same mi się zamykały, dobiegł mnie głos mamy:

– A jak nazywa się wasza pani?

– Nasza pani nazywa się po prostu... nazywa się nasza pani... – odpowiedziałam i zapadłam w sen.

PIERWSZY TROP W SPRAWIE PANI FLAMENKO, CZYLI GADAJĄCA PACZKA

Brrrr... Brrrr... Brrrr... Co to za hałas?! Coś brzęczy mi okropnie nad uchem i za nic nie chce się uciszyć. To już następny dzień? Tak szybko?

– Uuuu – wybuczałam. – To ten nieznośny budzik. Nowy wynalazek w domu, odkąd poszłam do szkoły!

Uciszyłam budzik, wrzucając na niego kilka poduszek. Postanowiłam, że pośpię jeszcze minutkę. Przewróciłam się i zanurkowałam głową pod poduchą. Uff... Wreszcie trochę spokoju! Nagle poczułam, że moja kołdra, którą byłam szczelnie otulona, jest coraz dalej i dalej, aż w końcu nie było jej wcale. Przetarłam oczy: czy ja ciągle śpię? Kołdra kotłowała się na podłodze. Spod burzy materiału w chmurki i gwiazdki wystawiła łeb... Czekolada! Ale przecież kiedy kładłam się spać, nie było jej w domu.

Czekolada wgramoliła się do łóżka i przytuliła się do mnie – oj, mama nie będzie zadowolona! Zakopałyśmy się w górze pościeli, a kołdra z powrotem wylądowała w łóżku. Miałam taką ochotę jeszcze pospać!

Nic z tego! Nagle zobaczyłam nad sobą twarz mamy. Miała rozczochrane włosy i jedno oko nieumalowane.

– Wyglądasz trochę jak klaun z tego cyrku, w którym byłam latem. – Ziewnęłam.

Mama nerwowo przygładziła włosy, które sterczały jej niesfornie we wszystkie strony.

– Czekolada, na miejsce! – przywołała psa do porządku, a ten posłusznie podreptał na swój chodniczek w rogu pokoju.

Mama ciągnęła dalej:

– Praktycznie jesteśmy już spóźnione. A to dopiero drugi dzień szkoły! Wyobrażasz sobie, co powie pani dyrektor? Tym bardziej że już jestem na czarnej liście.

– Nie martw się. Nasza pani jest przefajna! Zaczynamy dzisiaj od ewu. Tylko na angielski nie można się spóźniać. – Przeciągnęłam się leniwie.

– Ewu? Co to jest ewu? – zapytała zaskoczona mama.

„Ci dorośli! Nic nie wiedzą" – pomyślałam, ale cierpliwie wytłumaczyłam: – Ewu to tak jakby matematyka i język polski w jednym.

Mama spojrzała na zegarek.

– Jeśli nie wyjdziemy z domu w ciągu dziesięciu minut, będzie katastrofa – oświadczyła.

– A Czekolada? Zostawimy ją tak po prostu samą? Bez porannego spaceru? – zapytałam z troską.

– Ciocia Julia już zdążyła przegonić ją po parku – odpowiedziała mama. – A teraz błyskawiczna toaleta.

Rzuciłam się na stertę wczorajszych ubrań, które odłożyłam na fotelu. Nie miałam już czasu na wybieranie świeżych. Ubrałam się tak szybko, jakbym startowała w konkursie na najszybsze poranne zakładanie brudnych ciuchów.

Wreszcie stanęłyśmy w drzwiach. Ja byłam uzbrojona w szkolny plecak na kółkach, mama w dwie torby i moją śniadaniówkę. Ech! Życie jest czasem megafajne! W śniadaniówce miałam cztery śliwki, kanapkę z jajkiem i drożdżówkę z wiśniami. Dobrze, że mama przygotowała to jeszcze wczoraj. Dzisiaj dostałabym tylko wodę, a ja przecież uwielbiam drożdżówki! Było też jabłko, które zamierzałam oddać największemu głodomorowi w klasie. Może to będzie Alex?

Popędziłyśmy do auta. Dopiero tam się zorientowałam, że mam na sobie dwa różne buty. Na lewej

nodze był szary trampek, na prawej różowy pantofe-
lek. Ale heca!

– Nie tylko ja jestem klaunem, ty też! – Mama,
która też to zauważyła, zaczęła się śmiać.

Poranne wstawanie to ciężka praca. Mama dotarła
do szkoły w ciągu piętnastu minut. Zastanawiałam się
jak to zrobiła, bo normalnie jedziemy prawie pół godziny.

Na progu szkoły dosłownie wpadłyśmy na panią
Flamenko. Dźwigała paczkę owiniętą w szary papier.
Szturchnęłam mamę w bok.

– To właśnie jest pani Flamenko. Od hiszpańskiego.

I wtedy, w zamieszaniu, paczka spadła z hukiem na
ziemię. Pobiegłam na pomoc, ale pani Flamenko szyb-
kim ruchem zgarnęła mi pakunek sprzed nosa. Wyraźnie jednak usłyszałam, jak ze środka dobiega głos:

– Karrramba. Ale heca. Kraaa!

Nie do wiary i mega! Ta paczka mówiła! Odwróciłam się osłupiała do mamy.

– Słyszałaś, mamo?

– Nic nie słyszałam. Teraz pędem do szatni! – zarządziła mama. – Cudem zdążyłyśmy przed dzwonkiem.

Wpadłam do szatni. Może spotkam Florę i od razu obgadamy sprawę? Ona mnie zrozumie.

– Flo! – Przebijałam się przez tłumy pierwszaków. – Akcja! Tajemnica pani Flamenko!

Wyszeptałam jej o tym, co zobaczyłam i co usłyszałam. Flora wybałusza tylko oczy i obie wybiegłyśmy na korytarz. Pomachałam do mamy na pożegnanie. Potem zamiast na lekcję pognałyśmy z Florą do sali hiszpańskiego. Kiedy zatrzymałyśmy się zdyszane przed salą, drzwi właśnie się zamykały.

– Uuuu! – Flora była niepocieszona. Cały pościg na nic. Ale zaraz! My musimy umieć sobie radzić w każdym przypadku. Wyciągnęłam z torby swój tajny podsłuchiwacz i przyłożyłam go ostrożnie do drzwi.

– Coś skrzeczy! – zaczęłam zdawać Florze relację. – Ten sam głos. „Ale heca! Ale heca!"

Flora wyrwała mi z ręki podsłuchiwacz. Popatrzyłyśmy na siebie zdziwione.

Nagle drzwi się uchyliły i wyszła… pani Flamenko. Spojrzała na nas osłupiała. Flora szarpnęła mnie za rękę i puściłyśmy się pędem przed siebie. Zdyszana

zatrzymałam się przed swoją klasą. Cały czas trzyma-
łam kurczowo w ręku podsłuchiwacz. Musiałam go
ukryć. Nikt nie może dowiedzieć się o Tajnym Klubie! Chciałabym być niewidzialna, szybko wskoczyć
na swoje miejsce w klasie i udawać, że jestem tam
od samego rana. Ale pani oczywiście mnie widziała.
Wybąkałam więc tylko: przepraszam, i przecisnęłam
się do ławki pod oknem.

Niecierpliwie czekałam do przerwy. Umówiłyśmy
się z Flo na korytarzu pod drzewem (tak, obok mojej klasy zasadzone jest drzewo, takie z białą korą, to
brzoza). Ale zanim po dzwonku udało mi się wyrwać
z klasy, usłyszałam:

– Emilio, chciałabym porozmawiać.

To pani! Chciała porozmawiać. Niedobrze!
Flora mówiła mi o takich przypadkach, kończą się
uwagą w dzienniczku.

– Emilio, przypuszczam, że miałaś dzisiaj trud-
ności, by dotrzeć do szkoły. Poproś rodziców, abyście
wcześniej się wybierali. Z pewnym zapasem czaso-
wym – tłumaczyła pani.

– Tak, proszę pani. – Pokiwałam głową. Byłam
szczęśliwa, że mój dzienniczek pozostanie nadal czy-
sty. Obiecałam sobie, że już nigdy nie zrobię nic dziw-
nego w trakcie lekcji. Nawet jeśli pani Flamenko
przyniesie jeszcze coś bardziej zaskakującego.

Kiedy dotarłam w końcu pod drzewko, Flo przytupywała ze zniecierpliwienia.

– Wreszcie! Jesteś taka pilna, że nawet na przerwie siedzisz w ławce?

– Eee. Pani chciała ze mną porozmawiać – przyznałam się.

– Ja dostałam uwagę do dzienniczka. – Flo wzruszyła ramionami. – Tak się poświęcam dla śledztwa.

Spojrzałam na nią z podziwem. Miała uwagę w dzienniczku! To ja byłam szefową Tajnego Klubu Superdziewczyn, a przecież nie chciałabym mieć uwagi...

– Wszystkiego się dowiedziałam – mówiła dalej Flo. – W szopie za szkołą jest mały zwierzyniec, którym opiekują się pani Flamenko i pan Ogórkiewicz od przyrody.

– I co? Kto tam mieszka? – Wybałuszyłam oczy.

– Różne zwierzęta. Najczęściej bezdomne albo te kupione przez szkołę. Na stałe są tam kot Jeremiasz i kotka Kleopatra. Jest też królik. Nie zgadniesz, jak się nazywa! Futrzak! Czasem trafią się ptaki z przetrąconym skrzydłem, które pan od przyrody opatruje. Ktoś przyniósł nawet zagubionego chomika...

– W klatce, którą niosła pani Flamenko, na pewno nie było chomika ani kotów – zniecierpliwiłam się. Coś tam się darło. I to ludzkim głosem.

– Posłuchaj uważnie! W szopie jakiś czas temu zamieszkała... – Flora zawiesiła głos – ...p a p u g a G a d u ł a!

Ostatnie słowa Flory zagłuszył dzwonek. Poderwałam się na równe nogi i już miałam czmychnąć do klasy, kiedy Flo na koniec huknęła mi do ucha:

– Jestem pewna, że w klatce była papuga. Kra! Papuga Gaduła, która zniknęła z szopy.

– To dopiero historia. Mega! – krzyknęłam, ale jej już nie było.

Zaczęła się za to lekcja muzyki, na którą udało mi się nie spóźnić. Pani Fagot wybierała kandydatów do szkolnego chóru i każde z nas zostało poproszone o zaśpiewanie do-re-mi-fa-sol-la-si-do. W klasie panowała jednak cisza. Nikt nie odważył się zaśpiewać.

– No cóż. Nie zbiorę pełnego składu chóru w tym roku. Nie ma wśród was basów, sopranów ani altów. Taaak... Nie ma. – Pani Fagot się zasępiła i wbiła wzrok w biurko.

Nagle zerwała się i ogłosiła:

– Ale jeśli zdecydujecie się na pokaz swoich umiejętności, wtedy utworzę zespół perkusyjny. Halo! Słyszy mnie ktoś?

W klasie nadal panowała cisza. Jak makiem zasiał. Pani przechadzała się po klasie, solmizując do-re-mi-fa-sol-la-si-dooo. Zatrzymała się przed Aleksem. Moim kolegą z pierwszej ławki.

– A ty, kawalerze? Słyszałam, że grasz na gitarze. Czy to prawda?

– Tak, proszę pani – wyjąkał Alex. – Ale dopiero niedawno zacząłem.

– A Ty, Emilio Gacek? – zwróciła się do mnie pani Fagot. – Ty grasz na fortepianie. I to w szkole muzycznej. Zwalniasz się z basenu w każdy wtorek, aby zdążyć do szkoły, prawda?

Nic się nie ukryje! Pokiwałam głową i odpowiedziałam: – A moja koleżanka to gra na harfie.

– Faustyna z 3B. – przytaknęła pani. Nasza chórzystka.

– A ty, Anielo? Przecież pięknie śpiewasz. Karolina? Twoja siostra wygrała szkolny konkurs piosenek z wiosną w tle.

W końcu pani Fagot wybrała pięcioro kandydatów do chóru – Aleksa, Karol, Anielę, Rafała i mnie. Do zespołu perkusyjnego zgłosiło się aż pięciu chłopaków! Ciekawe, jakie mają plany? Wreszcie dzwonek! Klasa stanęła na baczność i zaśpiewała zgodnym chórem: do-re-mi-fa-sol-la-si-dooo.

Nagle otworzyły się drzwi i wpadła Flora z okrzykiem na ustach:

– Hej, Tajny Klubie! Zbieramy się na naradę!

Ale na widok pani Fagot wycofała się w popłochu.

– Nie zdradzaj nas – skarciłam ją, kiedy razem z Anielą spotkałyśmy się w miejscu naszej stałej zbiórki.

– Eee... nie wiedziałam, że wy też macie wybory do szkolnego chóru. Mnie pani Fagot też wciągnęła w tym roku. – Flo westchnęła. – No cóż, bierzmy się za obrady!

Nie było to jednak takie proste – wokół nas zaczął się kręcić rudy chłopak. Przyjrzałam mu się uważnie. Przecież to Felek! Brat Faustyny! On chyba też jest w pierwszej klasie. Tylko w której?

– *Dlaczego biedronka jest mała? Czy może być morze bez dna? Czy każda królewna ma pałaaaaac?** – zawył. – Będziecie to śpiewać bez końca. Wiem wszystko. Sam jestem w basach.

---

* Fragment piosenki *Co powie tata*. Muzyka: Jarosław Kukulski, słowa: Jerzy Dąbrowski.

Flo zrobiła kocie oczy i przegoniła go. Sprytnie wmieszał się w tłum chłopaków z pierwszych klas.

– Maluchy! – wzruszyła ramionami, a potem zwróciła się do nas: – Chcecie w końcu usłyszeć, czego się dowiedziałam?

– Mów – powiedziałyśmy chórem.

– Papuga Gaduła mieszkała w szopie od wiosny poprzedniego roku. Pewnego dnia po prostu przyleciała tutaj i została. Pan Ogórkiewicz, ten od przyrody w starszych klasach, uważa, że bardzo lubiła dzieci. Dlatego było jej u nas dobrze. Ciągle gadała. Praktycznie nie zamykał się jej dziób.

– A czy ty widziałaś Gadułę? – zapytałam z przejęciem.

– Nie zdążyłam. Pierwsze klasy nie mają wstępu do szopy. Wybieramy się dopiero za kilka tygodni. Ale Gaduły już nie ma. Wyfrunęła! Fruuuu! – Flo zatrzepotała rękami zupełnie jak ptak.

– Ale co z tym wszystkim ma wspólnego pani Flamenko? – Aniela nie dawała się przekonać.

– A właśnie to! – huknęła Flo i pokazała nam wy-
miętą kartkę. – Czytajcie.

Pochyliłyśmy się z Anielą nad kartką.

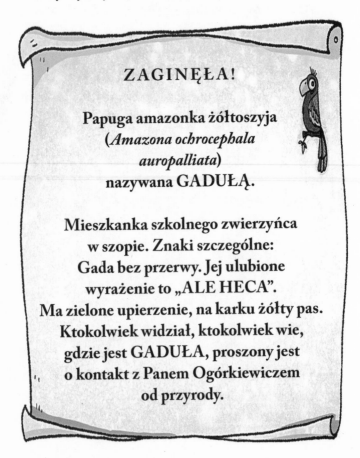

ZAGINĘŁA!

Papuga amazonka żółtoszyja
(*Amazona ochrocephala*
auropalliata)
nazywana GADUŁĄ.

Mieszkanka szkolnego zwierzyńca
w szopie. Znaki szczególne:
Gada bez przerwy. Jej ulubione
wyrażenie to „ALE HECA".
Ma zielone upierzenie, na karku żółty pas.
Ktokolwiek widział, ktokolwiek wie,
gdzie jest GADUŁA, proszony jest
o kontakt z Panem Ogórkiewiczem
od przyrody.

– Zadanie wykonane! Banalne! Gaduła na pewno jest u pani Flamenko! – krzyczałam zadowolona, że rozwiązanie okazało się takie proste.

– Nie tak szybko – ostudziła mój zapał Flora. – Nie mamy żadnych dowodów.

Otworzyłam usta, aby zarzucić ją dziesiątkami pomysłów. Jednak dokładnie w tej chwili odezwał się dzwonek. Rozeszłyśmy się na lekcje. Szłam niechętnie, miałam jeszcze tyle do omówienia z Flo.

Widziałyśmy się jeszcze na przerwie obiadowej (dzisiaj znów były ziemniaki, feee...), ale nie udało nam się ustalić nic, co byłoby ważne dla dochodzenia.

Kiedy po południu mama odebrała mnie ze świetlicy, miałam ochotę opowiedzieć jej od razu o sprawie Gaduły i pani Flamenko. Ale od razu sobie przypomniałam, jak to było z profesorem. Postanowiłam więc trzymać język za zębami.

– Co nowego w Tajnym Klubie Superdziewczyn? – zagadnęła mama.

Ale ja nie byłam skora do rozmowy. Zanurkowałam w szatni i założyłam swoje dwa różne buty. Z trudem łapiąc równowagę, począłapałam do samochodu.

– Pani Zwiędły zaprosiła nas dzisiaj na małe co nieco – powiedziała mama, kiedy umościłam się wygodnie w aucie.

– A moja praca domowa? Mam narysować skrzyp-ce, powtórzyć angielski i przeczytać wiersz o jesieni – wyburczałam.

– Swobodnie uda się to wykonać u Zwiędłych. Mają dużo miejsca – odpowiedziała mama.

– Jasne, ja to o niczym nie decyduję – nadąsałam się. Nie byłam zadowolona z tej propozycji, ale doda-łam z przekąsem: – Jedźmy. Na pewno będzie prze-fajnie.

Kiedy dotarłyśmy do państwa Zwiędły, przywitał nas zapach świeżo upieczonej pizzy.

– Tym razem mamy najlepszą pizzę na świecie. Bez ekologicznych dodatków – zapewniła nas pani Laura już od progu.

– Może nie będzie tak źle – wymamrotałam. W końcu uwielbiałam pizzę u Zwiędłych.

– Dziewczyny, wspaniale, że wpadłyście. Rozgość-cie się. Flora za chwilę będzie – zapraszała nas do środ-ka pani Zwiędły.

Flo wynurzyła się z czeluści korytarza. Miała nie-szczególną minę.

– Mam dobrą i złą wiadomość – powiedziała do swojej mamy.

– Zacznij od dobrej – pani Laura się uśmiechnęła.

– Znalazł się mój dzienniczek szkolny – oświad-czyła Flo.

– Świetnie! – podsumowała pani Zwiędły. – A zła wiadomość?

– No wiesz, wiesz – plątała się Flora – mam w nim… uwagę.

– Florciu! Nie spodziewałam się tego w pierwszych tygodniach szkoły. Cóż, porozmawiaj o tym z tatą – skomentowała pani Zwiędły. – A ty, Emi, masz już jakąś uwagę? – zwróciła się do mnie.

– Nie, proszę pani, ale za to Flora i ja będziemy śpiewać w chórze! – pochwaliłam się.

– Flora? – zdziwiła się pani Laura. – Myślałam, że Flora zupełnie nie ma słuchu… Próbowaliśmy lekcji na pianinie, ale powiedziano nam, że sytuacja jest beznadziejna.

Flora popatrzyła na mnie zmrużonymi oczami i odezwała się słodko do mamy:

– Mam miejsce w szkolnym chórze. Pani Fagot uważa, że w ostateczności mogę zagrać na trójkącie. A teraz lecimy z Emi odrabiać lekcje. – Chwyciła mnie za rękę i pociągnęła na piętro, do swojego pokoju, po czym zamknęła za sobą dokładnie drzwi i wybuchła:

– Emi, jak mogłaś wypaplać o chórze?!

– Ale to przecież nic złego. Przecież będziesz śpiewać… – broniłam się.

– Chór ćwiczy w trakcie kółka plastycznego, na które zapisała mnie mama. A ja nie znoszę malować, wycinać, naklejać ani nic takiego. Dlatego wolę być w chórze. Udało mi się przekonać do tego panią Fagot, a ty tak po prostu powiedziałaś o wszystkim – stwierdziła rozżalona.

– Ale ja o niczym nie wiedziałam. Przecież całkiem niedawno siedziałaś tu z Frankiem i wyklejałaś flagi – oznajmiłam.

– To całkiem co innego – wymamrotała Flora.

Potem w oczekiwaniu na pizzę zagłębiłyśmy się w lekcjach. Miałam przecież wiersz do przeczytania, skrzypce do narysowania i angielski. Ale myślałam tylko o papudze. Co się stało z Gadułą? I co miała z tym wspólnego pani Flamenko?

JAK SPOTKAŁAM PANIĄ FLAMENKO I WYSZŁO NA JAW, ŻE NIE OGLĄDAM TELEWIZJI

Dzisiaj obudziłam się sama. Jeszcze przed budzikiem. Po pierwsze dlatego, że pod moim oknem biesiadowały kruki. Ale to całkiem inna historia. Potem nadjechała śmieciara i było jeszcze gorzej. Po drugie, mam mnóstwo pracy. Tata też wstaje bardzo wcześnie, kiedy zawalają go robotą. Ja miałam dzisiaj w planach budowanie z klocków Lego, ale cóż, przyjemności na bok – trzeba zająć się lekturą.

Lektura jest wtedy, kiedy cała klasa idzie do szkolnej biblioteki i każdy wypożycza taką samą książkę. To jeszcze nie koniec. Trzeba potem tę książkę przeczytać. Ze zrozumieniem. Czyli że pani albo zrobi krótki sprawdzian, albo będziemy rozmawiać na lekcji, o czym napisał autor. Teraz czytamy *Bon czy ton**. Była z tym niezła heca.

Zanim pojawiłam się w szkole, moja klasa, 1D, wypożyczyła książki z biblioteki. No i potem nie było już dla mnie żadnego egzemplarza. Więc trzeba było tę książkę kupić. Tata specjalnie pojechał do największej księgarni w mieście, ale przywiózł tylko kilka magazynów o budowaniu domów.

– Nie mają książki *Bączy ton* – oświadczył zrezygnowany. – Sprawdzali w systemie. Co gorsza, w ogóle w całym kraju nie ma takiej książki. Nie wiem nawet, czy jest coś takiego w świecie.

– Ciekawe, czy ten tytuł ma coś wspólnego z bąkami? – odparłam, wcale tym nie przejęta, i powiedziałam uspokajająco do taty: – Mam jeszcze sporo czasu. Dwa rozdziały muszę przeczytać za tydzień. A całą lekturę dopiero w drugiej klasie. Teraz czytamy na D – „Dama i dżentelmen", i na M – „Mlaskanie i siorbanie".

– Zaraz! To o czym jest ta książka? – zaciekawił się tata. – Miało być o bąkach?

– Jak to o czym? O tym, jak powinien się zachowywać kulturalny człowiek! Nasza pani mówi, że nie

---

* Grzegorz Kasdepke, *Bon czy ton. Savoir-vivre dla dzieci*, Wydawnictwo Literatura.

wiemy jeszcze wszystkiego i lektura nam pomoże – mruknęłam.

– Rozumiem! Nie chodzi o *Bączy ton*, tylko o *Bon czy ton*! – triumfalnie zawołał tata. – Zaraz wracam!

Okazało się, że lektura ma ponad sto pięćdziesiąt stron. Nigdy jeszcze nie przeczytałam sama takiej grubej książki! Na dodatek o tych wszystkich przefajnych sprawach jak ziewanie, pokazywanie języka i guma do żucia. Chyba przeczytam ją całą. Bo co będzie, jeśli pani zapomni, że mamy przeczytać tylko dwa rozdziały, i zrobi sprawdzian z wybrzydzania?

Tak się złożyło, że tego dnia mieliśmy lekcję w bibliotece. Najpierw pani opowiadała nam o bibliotekach. O tym, że dawniej dzieci nie mogły tam chodzić. Pierwszą bibliotekę dla dzieci otwarto ponad sto lat temu w Ameryce – w drugiej połowie dziewiętnastego wieku. A pierwsza biblioteka dziecięca w Europie powstała we Francji i nazywała się „Godzina radości”. Jesteśmy szczęściarzami! Dzisiaj jest mnóstwo bibliotek dla dzieci! Potem przyszedł do nas, czyli do biblioteki, taki pan, który jest prawdziwym aktorem i występuje w telewizji. Dzieciaki oblepiły go ze wszystkich stron. Nie wiem, jak w takim tłumie udawało mu się oddychać. Ten aktor miał na sobie piękny szary garnitur. Zupełnie jak tata, kiedy po nieprzespanych nocach wybiera się na prezentację swoich projektów.

– No cóż. Trzeba to jakoś sprzedać – wzdycha, pakuje zwoje papieru ze szkicami domów i rusza w podróż.

Przecisnęłam się przez tłum i zapytałam:

– Co pan będzie sprzedawał?

Aktor uniósł wysoko brwi ze zdziwienia.

– Ha! Nic ze sobą nie przywiozłem. Chyba więc będę sprzedawał swój talent.

– Ten pan jest z telewizji! – zaskrzeczał ktoś nad moim uchem.

– Mój tata, kiedy zakłada taki garnitur, jedzie sprzedawać – wyjaśniłam obrażona.

- No nie! – oburzyła się Karol. – Ty nie poznajesz! To przecież Antoni z Domek.pl!

– Hm… – zająknęłam się. – Nie wiem, co to jest Domek.pl. U nas telewizor włącza się rzadko. No, może kiedy tata ma ochotę się zrelaksować i obejrzeć sobie *Gwiezdne wojny* albo jakiś mecz…

Gromy posypały się na mnie ze wszystkich stron:

– Nie oglądasz Domek.pl?!

– Nie wierzę! – Karol westchnęła i odrzuciła do tyłu swoje blond loki.

Aktor uśmiechnął się i wyjaśnił:

– Ej, dzieciaki! Bez emocji! Aktorzy grają nie tylko w telewizji. Można ich spotkać też na przykład w teatrze. Może koleżanka kiedyś właśnie tam mnie zobaczy, skoro nie ogląda telewizji.

– Moja mama uważa, że telewizja to zjadacz czasu. A ja nazywam się Emi i już byłam w teatrze – wyrzuciłam z siebie. I zaraz dodałam: – I nawet występowałam na scenie!

– To prawda! Obie występowałyśmy! W teatrze Bajka – ujęła się za mną Aniela.

– Supersprawa. Też tam grałem. Więc jednak mamy ze sobą coś wspólnego? – zaśmiał się pan aktor.

I wyjaśnił, że został zaproszony, aby przeczytać nam fragment jednej z najpiękniejszych historii dla dzieci – opowiadania o Muminkach*, które kiedyś będzie naszą lekturą.

* Tove Janson, *Muminki*. Księga pierwsza, Nasza Księgarnia.

– Lektury są nudne – stwierdził Rafał i ziewnął.

Pan aktor pstryknął palcami i powiedział:

– Nie taki diabeł straszny, jak go malują. A teraz do roboty!

I zaczął czytać. O tym, jak Mama Muminka i Muminek wędrowali po lesie i spotkali zwierzaczka, a potem Tulippę, pannę, która mieszkała w kielichu tulipana... I jeszcze o tym, jak Tatuś Muminka odszedł z Hatifnatami.

Znam te Muminki. To ulubiona książka mamy. Czytamy ją czasami na dobranoc, a potem mocno się przytulamy i zasypiamy. Czasami śnią mi się przygody tych małych trolli. Widzę, jak wędrują sobie po najbardziej kolorowych lasach, jakie uda mi się tylko wyobrazić. Ale część naszej klasy jeszcze nigdy nie słyszała o Muminkach. Kiedy pan z telewizji skończył czytać, w bibliotece panowała kompletna cisza.

– I co było dalej? – odezwała się wreszcie jakaś dziewczynka z 1C.

– I żyli długo i szczęśliwie. Jak to Muminki. – Pan aktor się zaśmiał. – Fajne te Muminki z listy lektur, no nie? – dodał i z hukiem zamknął książkę.

To była megalekcja. Potem wszyscy znowu zaczęli się pchać. Karol, która cały czas siedziała blisko pana aktora, uspokoiła klasę dwoma słowami:

– Wszyscy cisza!

A potem zwróciła się do pana aktora, czyli Antka z Domek.pl:

– Rozumiem, że rozda nam pan autografy?

– Jasne! – potwierdził. – Pierwszy autograf dla tego, kto weźmie udział w quizie. Kto mi powie, jak nazywała się Mama Muminka?

Zapadła cisza.

– Mama Muminka nazywała się Mama Muminka. Banalne. – Wzruszyłam ramionami.

– Panna Emi, która nie widziała nigdy serialu Domek.pl, otrzymuje pierwszy autograf – oświadczył pan aktor, a Karol aż zakipiała z zazdrości:

– A ja? A ja? To był mój pomysł!

– Każdemu według zasług – oświadczył pan aktor i zaczął rozdawać autografy.

Spojrzałam na swój. To była zwyczajna kartka, na której było napisane (byle jak! nasza pani nie byłaby zadowolona…):

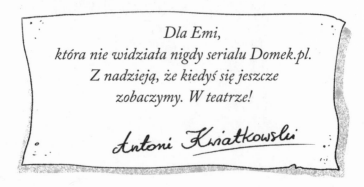

Dla Emi,
która nie widziała nigdy serialu Domek.pl.
Z nadzieją, że kiedyś się jeszcze
zobaczymy. W teatrze!

Antoni Kwiatkowski

Taka heca o kawałek kartki! Za to na koniec lekcji wybuchła prawdziwa bomba – do biblioteki przyszła pani Flamenko! Nie widziałam jej od wczoraj, a kółko hiszpańskiego miało być dopiero za dwa dni.

Bez namysłu podbiegłam do stołu pani bibliotekarki. Dokładnie się przyjrzałam pani Flamenko. Miała na sobie czerwoną spódnicę i czarną falbaniastą bluzkę. Jeszcze buty na obcasie, też czerwone. Ale najbardziej zainteresowało mnie coś, co trzymała w ręce. To był wielki album... o p a p u g a c h! Nie mogłam obserwować jej zbyt długo, żeby nie wzbudzić podejrzeń. Nagle pani bibliotekarka zawołała nas do siebie.

– A teraz... każdy może... wypożyczyć sobie książkę.

– Eeee... Już mamy lekturę. – Chłopakom to się nie spodobało.

– Dzisiaj możecie wypożyczyć sobie dowolną książkę. I nie musi to być lektura. Może opowiadania albo wiersze? A jeśli macie specjalne zainteresowania –

tutaj jest półka z książkami o przyrodzie, kosmosie czy ręcznych robótkach. – Pani bibliotekarka pokazała nam regał z napisem „Hobby".

Ale dziewczyny nie interesowały się uprawą kwiatów czy opieką na kotkami. Rzuciły się na książki o wampirkach!

– My chcemy poczytać o Realu Madryd! – Chłopaki wydzierali sobie z rąk dwa egzemplarze cienkiego albumu z piłkarzami.

Ja stałam spokojnie z boku. Wiedziałam, co wypożyczę. Moje specjalne zainteresowanie na dziś to p a p u g i!

– To ja poproszę książkę o papugach – zwróciłam się do pani bibliotekarki, kiedy wszyscy siedzieli z nosami w wampirach albo piłkarzach. – O, tę tutaj! – Pokazałam na wielki album, który leżał na stole.

– O! To coś wyjątkowego. Album *Papugi świata*. – Pani bibliotekarka wzięła do ręki gruby tom.

– Właśnie oddała go pani Flamenko. Powiem ci coś w tajemnicy, bo widzę, że macie wspólne zamiłowania. Pani Flamenko ma teraz papugę żako, a to bardzo ciekawy okaz. Kiedy byłam dzieckiem, miałam w domu papugę falistą. Nie mówiła zbyt dużo, ale przywiązałam się do niej. To był Artur. Och, stare dzieje – rozmarzyła się, a po chwili wręczyła mi książkę.

Wreszcie!

Spojrzałam na nią z wdzięcznością. Ale zaraz mina mi zrzedła. Okazało się, że w książce nie ma nawet słowa po polsku. Wszystko było po angielsku! Trochę umiem pisać i czytać, ale rozumiałam tylko jedno: *parrot* i *parrot*.

Po lekcji w bibliotece zaczęła się przerwa obiadowa, a ja miałam zobaczyć się z Flo. Musiałyśmy wykazać się sprytem, aby nasze spotkanie doszło do skutku. Pamiętałam już, że pierwszaki siedzą osobno. Ustawiłyśmy się więc w kolejce po dania. Była też z nami Aniela.

– Zdobyłam książkę o papugach! – pochwaliłam się i wyciągnęłam z torby opasły tom.

Flora spojrzała z podziwem, ale zaraz mnie upomniała:

– Po angielsku?! Nic nie zrozumiemy!

– Poproszę o pomoc tatę – zaproponowałam, ale natychmiast się zawahałam. – Tyle że on znowu coś szkicuje.

Aniela się włączyła:

– Damy sobie radę. Czytałam trochę po angielsku z babcią.

– Ale tu są długie zdania! – zawołała Flora i spojrzała podejrzliwie na Anielę. – A jak dobrze znasz angielski? Jaką ocenę dostałaś z pierwszego sprawdzianu?

– Szóstkę – odpowiedziała Aniela. – Nie zawsze wszystko rozumiem, ale spróbuję. W końcu moja babcia mieszkała w Londynie przez 30 lat!

– Papuga żako. Ta nas interesuje – oświadczyłam i wskazałam na stronę z małym burym ptakiem z wielkim dziobem. Z trudem przeliterowałam podpis: *Psittacus erithacus*.

– Przecież papugi są kolorowe. – Flora pokręciła głową. – Gaduła była zielona. Pamiętacie chyba ogłoszenie.

– Musimy to sprawdzić. Pani Flamenko ma właśnie papugę żako. Tyle wiem od pani z biblioteki – mruknęłam.

– Zabieram się za robotę – zakończyła naszą dyskusję Aniela i zabrała album.

– A teraz talerze w dłonie i dołączamy do swoich klas – zarządziłam. – Jeszcze moment, a ktoś się zorientuje, że coś knujemy.

Na szczęście obiad minął nam przyjemnie. Dzisiaj były naleśniki! I nikt nas nie zachęcał do jedzenia buraków czy ziemniaków. Udało nam się nawet zdobyć dokładkę, chociaż chłopcy byli sprytniejsi, jedli już czwartą porcję!

– A ty co wybrałaś w bibliotece? – zapytałam Anielę, kiedy pochłaniałyśmy kolejny talerz naleśników.

– Eee… Te wampirki, no wiesz. Lecą teraz w telewizji – odpowiedziała.

– Słyszałam. – Westchnęłam. – Ale nie oglądałam.

– Przyjdź do mnie na nocowanie, wtedy obejrzymy razem – zaproponowała Aniela.

Zaświeciły mi się oczy. To jest megawyjście z sytuacji. Muszę tylko przekonać mamę!

– Do kiedy te wampirki będą w telewizji? – zainteresowałam się. – Mama nie zgodzi się od razu, a nie chcę stracić takiej szansy.

– Nic się nie martw, ciągle lecą. Ja też lecę, mam zajęcia z plastyki. – Aniela zgarnęła album o papugach i tyle ją widziałam.

A ja zastanawiając się, jak ugryźć temat nocowania u Anieli, powlokłam się na zajęcia z karate.

Następnego dnia Aniela zupełnie nas zaskoczyła.

– Czy wiecie, że te papugi żako mogą się stresować? – zapytała. – Wtedy są bardzo niemiłe dla otoczenia.

– Nie wierzę! – prychnęła Flora. – To niemożliwe. Moja mama ciągle się stresuje. I dostaje migreny. Papuga też?

– I co jeszcze napisali? – wtrąciłam się.

– Nic więcej. – Aniela wzruszyła ramionami. – Pójdę na zajęcia, jeśli mi nie wierzycie.

Spojrzałam na moje wspólniczki i powiedziałam:

– Znam jedną dziewczynę, która zajmuje się zwierzętami. Może ona nam to wyjaśni.

– Musisz nas koniecznie umówić! – ryknęła Flo. – Już teraz!

– To nie będzie takie proste – odrzekłam. – Ona jest studentką i jest bardzo, ale to bardzo zajęta.

LEKCJA RYSUNKU.
PIES KONSTANTY I STEFAN JEŻ

Długo myślałam, jak umówić się z Konstancją. To właśnie ona studiowała psychologię zwierząt. I była nam teraz bardzo potrzebna. Być może pomogłaby nam rozwiązać zagadkę pani Flamenko? I odszukać Gadułę? Konstancja przez jakiś czas uczyła mnie rysunku. Tata się upierał, że to niemożliwe, abym nie odziedziczyła po nim talentu, i zapisał mnie na lekcje. Lubiłam rysować, ale nie aż tak, żeby brać udział w tych wszystkich konkursach plastycznych, które tata wynajdował w Internecie.

Kiedy Konstancja, ze swoją burzą rudych włosów, pojawiła się po raz pierwszy, mama nie była zadowolona.

– Behawiorystka! Za chwilę będziemy tu mieli zwierzyniec – przepowiadała.

Lubiłam wizyty w pracowni Konstancji. A najbardziej zwierzęta, które z nią mieszkały. Opiekowała się czterema owczarkami szkockimi.

– Są takie słodziutkie... – tłumaczyłam mamie, kiedy wróciłam któregoś razu z pracowni. – Mają takie piękne długie włosy. Najbardziej lubię Konstantego.

– Rozumiem cię – odpowiedziała mama. – Też kochałam Lessie*.

– Le... co? – wykrztusiłam.

– Dawne dzieje. Owczarek collie o imieniu Lessie był bohaterem serialu dla dzieci, kiedy ja byłam mała. Niesamowity pies. Uciekł od nowego właściciela i po paru tygodniach wędrówki odnalazł chłopca, który był jego pierwszym właścicielem. Kiedy film nadawano w Teleranku**, wszyscy płakaliśmy. Ale my mamy Czekoladę i mnóstwo zajęć, a collie wymagają wiele uwagi – zamknęła dyskusję mama.

---

* Eric Knight, *Lessie, wróć!*, powieść z 1940 roku o owczarku szkockim długowłosym (była to suka), który związany ze swoim pierwszym właścicielem, chłopcem o imieniu Joe, dwukrotnie ucieka od nowego właściciela, by odszukać chłopca. W latach 1943 i 2005 zrealizowano dwie ekranizacje powieści.

** Teleranek – poranny program dla dzieci, nadawany przez Telewizję Polską w niedziele, w latach 1974–2009.

A ja na dodatek pokłóciłam się z Konstancją, kiedy ta próbowała nauczyć mnie, jak obchodzić się z pastelami. Tuby z farbami spadły mi na ziemię, prosto na Konstantego, który wylegiwał się pod stołem.

Zanim to się wydarzyło, miałam nawet pomysł, żeby wypożyczyć go na trochę do domu. Może mama by się zgodziła? Mógłby się nawet zaprzyjaźnić z Czekoladą. Ale Konstancja uznała, że nie może mi powierzyć żadnego ze swoich podopiecznych.

– Zwierzęta muszą czuć się bezpieczne – oświadczyła. – Moja terapia pójdzie na marne, jeśli Konstanty straci przez ciebie zaufanie do ludzi.

Mega! To był wypadek! Czy ja mogłabym zaszkodzić zwierzętom? Przecież ja je kocham. Jestem pewna, że gdyby Czekolada potrafiła mówić, potwierdziłaby to. Miałam więc naprawdę twardy orzech do zgryzienia: w jaki sposób umówić się z Konstancją, która uważa, że nie znoszę zwierząt? I twierdzi, że wcale nie mam talentu?

Flora, jak na złość, ciągle dopytywała:

– To kiedy idziemy do psychologa zwierząt? Zrób coś wreszcie, kobieto!

W końcu zebrałam się na odwagę i zapytałam tatę:

– Tato, ta Konstancja, no wiesz, ta pani od rysunku, to może chciałaby mnie jeszcze trochę pouczyć?

Tata podjadał właśnie smakołyki, które udało mu się zwędzić przed kolacją. Spojrzał na mnie zdziwiony. Odłożył na bok swój najnowszy szkic, nad którym pracował w przerwach między przegryzaniem ciasteczek.

– To wymaga dużego nakładu pracy – odpowiedział wreszcie i wrócił do rysowania. Skrzywiłam się. Ale po chwili coś przyszło mi do głowy. Nie byłabym przecież szefową Tajnego Klubu, gdybym zostawiła sprawę nierozwiązaną! Przyciągnęłam z pokoju cały plastyczny arsenał – szkicownik i zestaw ołówków, które dostałam kiedyś od taty. Usiadłam obok niego i zaczęłam rysować. Naszkicowałam dom państwa Zwiędłych, tak jak go zapamiętałam z ostatnich wizyt. Byłam całkiem zadowolona z siebie. Z dumą pokazałam swoje dzieło tacie.

Pokręcił głową i rzekł:

– Popracuj jeszcze nad proporcjami.

– Ale jak? – spytałam.

Tata wziął mój ołówek i kilkoma sprawnymi ruchami poprawił mi szkic.

– Teraz wygląda super! – Ucieszyłam się. – Dom państwa Zwiędłych jak żywy.

– Pokażcie – zainteresowała się mama i pochwaliła nas: – Świetny!

– Może jednak powinnam wrócić na lekcje do Konstancji? – znów poruszyłam nurtujący mnie temat.

– To wymaga pewnego nakładu pracy – powtórzył tata, a mama puściła do mnie oko.

Oho! Byliśmy na dobrej drodze!

Następnego ranka, kiedy tata wiózł mnie do szkoły, sam nawiązał do tematu nauki u Konstancji:

– Emi, rozważam lekcje rysunku dla ciebie, skoro naprawdę jesteś tym zainteresowana. Ale chyba pomyślę o innej nauczycielce. Konstancja jest bardzo zajęta.

– Nie! – wrzasnęłam. – Chcę, żeby uczyła mnie Konstancja.

– Czy chodzi o rysunek, czy raczej o owczarki collie? – zaciekawił się tata.

– Bardzo lubię Konstancję. Owczarki też – odburknęłam nadąsana.

Po kilku dniach tata oświadczył:

– Konstancja zgadza się nadal cię uczyć. Ale pod warunkiem że zachowasz absolutną ostrożność w pracowni. I przyłożysz się do lekcji – bez marudzenia.

Podskoczyłam do góry z radości. Moja misja zakończyła się sukcesem!

Okazało się jednak, że nie miałam racji. Flora spokojnie wysłuchała mojej opowieści i zapytała rzeczowo:

– To kiedy idziemy do tej Konstancji?

– Jak to „idziemy"? – zdziwiłam się. – To przecież moja lekcja.

– Jestem przecież członkiem Tajnego Klubu. Czy mam się przebrać za owczarka collie? – Wykrzywiła się, udając psa.

Ustaliłyśmy w końcu, że Flora poprosi swoją mamę, aby zaproponowała moim rodzicom wspólne lekcje u Konstancji.

Sprawy potoczyły się błyskawicznie. Po południu, kiedy wracałam z mamą ze szkoły, dowiedziałam się, że wieczorem wpadają do nas pani Laura i Flo.

– Jeśli chcesz bawić się z Florą, po powrocie od razu siadaj do lekcji – zaznaczyła mama.

– Nic nie mamy zadane – odpowiedziałam. – Tylko nauczyć się piosenki o słoniach na muzykę i przeczytać pięć razy czytankę na angielski. A za tydzień mamy oddać projekt o ptakach. Ja wylosowałam gawrona.

– I to ma być nic! – skomentowała mama.

Nie miałam wyboru. Usiadłam do odrabiania lekcji, ale udało mi się skończyć, zanim nadciągnął tajfun w postaci Flo i jej mamy.

– Zobaczcie! Kupiłam przepiękny płaszcz! – wołała pani Laura, kręcąc się po korytarzu. – Niesamowicie oryginalny. Od młodego projektanta. Kurnik się nazywa.

Spojrzałam zdziwiona: co pięknego było w zwykłym szarym płaszczu? No, może to, że nie miał guzików.

– Kurnik? – Flo się wykrzywiła. – Na lekcji przyrody słyszałam, że w kurniku mieszkają kury i składają tam jaja.

Zaraz po tej wypowiedzi dałyśmy susa do mojego pokoju.

– Moja mama ma załatwić, żebym mogła iść na lekcję rysunku – powiedziała Flo przyciszonym głosem i wyjęła stare ogłoszenie o papudze Gadule.

– Biedna Gaduła – rozczuliła się. – Musimy ją sprowadzić z powrotem do zwierzyńca. To jej dom!

– Jest słodziutka – dodałam.

A potem zaczęłyśmy budować miasteczko z klocków Lego. W jednym z domów umieściłyśmy nawet klatkę dla papugi!

Mama Flo naprawdę załatwiła jej wizytę u Konstancji. Tata na początku się temu sprzeciwiał, ale w końcu ustąpił.

– Jeden, jedyny raz – oznajmił. – Później każda z was będzie miała indywidualne zajęcia.

Wyruszyłyśmy do Konstancji w czwartek, zaraz po lekcjach. Flora musiała czekać na mnie godzinę w świetlicy, więc nie była za szczęśliwa.

– Nie masz wolnej godziny w szkole? – narzekała. – Jednej, jedynej godziny?

– Jestem zarobiona. Mam zajęcia dodatkowe, dzisiaj karate i rzeźbę. A z rzeźby się nie zwolnię. Nie ma mowy! Uwielbiam rzeźbę – nie poddawałam się.

Flora z kwaśną miną poszła do świetlicy, żeby poczekać tam na mnie.

Po lekcjach tata zabrał nas prosto do Konstancji. Przywitała nas w drzwiach z malutkim jeżem na rękach.

– To Stefan jeż – przedstawiła nam zwierzątko.

– Fe! – Flora się wykrzywiła. – Przecież jeż kłuje!

– Tylko wtedy, kiedy musi się bronić – uspokoiła nas Konstancja. – Możecie go pogłaskać.

Rzeczywiście, Stefan jeż prawie nie kłuł. No, może troszkę. Potem zabrałyśmy się do pracy.

– Zacznijmy tam, gdzie przerwałyśmy. – Konstancja pokazała nam pastele.

Później opowiadała, jak używać różnych rodzajów pasteli. Mnie najbardziej spodobały się pastele wodne. A potem malowałyśmy Stefana jeża.

– Chyba wolę kredki – narzekała Flora; była cała ubabrana w brązowej farbie. – Te pastele wszędzie się rozpływają.

To prawda, pastele pokryły nas zupełnie: były na naszych włosach, ubraniach, na dywanie i na stole.

Konstancja, przerażona stanem swojej pracowni i wyglądem Flory, postanowiła nam przerwać.

– Dość na dzisiaj – oznajmiła. – Teraz sprzątanie i czyszczenie ubrań.

Kiedy byłyśmy prawie czyste i piłyśmy sok żurawinowy, Konstancja przyprowadziła owczarki. Konstanty przymilał się do mnie i tulił się do moich nóg. Ja drapałam go za uchem i gładziłam jego długie włosy. Nie zapomniał mnie!

Konstancja przysiadła się do nas z kubkiem herbaty i niespodziewanie zagadnęła:

– A teraz powiedzcie, co naprawdę was do mnie sprowadza?

Flora spojrzała na mnie, a ja na nią. Nie było lepszego momentu, aby zdradzić Konstancji naszą tajemnicę.

Flo wyciągnęła z plecaka zmięte ogłoszenie o Gadule, a ja zaczęłam opowiadać:

– Chodzi o to, że nasz klub, Tajny Klub Superdziewczyn, wpadł na trop zaginionej papugi.

Konstancja uniosła brwi.

– To wy jesteście k l u b e m?

– Tak. Emi jest szefową. A jak tak jakby zastępcą – wyjaśniła Flo.

– Więc cóż to za papuga, drogi Klubie? – Konstancja się uśmiechnęła.

Przekrzykując się wzajemnie, opowiedziałyśmy jej całą historię. O pani Flamenko, jej papudze żako i o zaginionej Gadule. A Flora pokazała wreszcie ogłoszenie.

– I chcecie wiedzieć, jak to jest z papugami?

– Taaak! – odparłyśmy chórem. – Może wtedy odkryjemy tajemnicę pani Flamenko. I odnajdziemy

Gadułę. Wtedy będzie mogła wrócić do naszego szkolnego zwierzyńca.

– No to słuchajcie. Papugi potrzebują towarzystwa. Niektóre, jak papugi żako, mocno się przyzwyczajają do innych. Jeśli coś je bardzo zaniepokoi, stają się nerwowe. Ptaki, w ogóle zwierzęta, mają swoją konstrukcję psychiczną. Podobnie jak ludzie. Mogą się cieszyć albo smucić. I bardzo źle znoszą nerwowe sytuacje.

Konstancja mówiła, a my patrzyłyśmy na nią jak zaczarowane.

– W jaki sposób możemy dowiedzieć się czegoś od pani Flamenko?

– Hodowcy papug to bardzo specyficzni ludzie. Zwykle są zakochani w swoich ptakach i lubią o nich opowiadać – wyjaśniła. – Może mogłybyście zagadnąć panią Flamenko, jak czuje się jej papuga?

– Świetny pomysł! – ucieszyłam się. – Ale co z Gadułą?

Konstancja uważnie przeczytała ogłoszenie.

– Widzę, że wasza Gaduła to amazonka żółtoszyja. Takie papugi rzadko występują w Polsce. Zanim trafiła do waszego zwierzyńca, musiała należeć do kogoś, kto zna się na rzeczy. Mam na myśli na hodowli papug.

Potem zamyśliła się i zaczęła szperać w książkach.

– Dziwne – powiedziała. – Ten gatunek występuje u nas naprawdę rzadko. Być może, kiedy spotkamy się następnym razem, będę mogła powiedzieć na ten temat coś więcej.

Spojrzałyśmy na siebie z Florą porozumiewawczo.

– Będzie następny raz?

Ale Konstancja okręciła się dookoła, klasnęła w dłonie i… ogłosiła koniec lekcji. W tym czasie już pojawił się tata.

– Zgarniam was – mruknął.

– Zapraszam panie w sobotę – zapowiedziała Konstancja.

Popatrzyłyśmy na siebie z Florą. Byłyśmy uszczęśliwione! Konstancja jest jednak super. Chyba polubiłam jej lekcje. Pastele też!

— Czyżby nieoczekiwany rozwój talentu? — zapytał z przekąsem tata.

— Są postępy — odrzekła Konstancja i puściła do nas oko.

Konstanty na pożegnanie polizał mnie po nogach. Naprawdę jest słodziutki!

HALLOWEEN, PUCUŚ
I MÓJ NAJGORSZY DZIEŃ

Przywlokłam się dzisiaj ze szkoły w fatalnym nastroju. Rzecz jasna nie wlokłam się przez całe miasto sama. Jestem jeszcze za mała, żeby sama chodzić po mieście. Tata wiózł mnie samochodem i przez całą drogę rozmawiał przez telefon. Mówił o jakimś bardzo ważnym projekcie, który się „sypał". Nie wiem, czy sypał się bardzo i leciały cegły czy tylko trochę. Obserwowałam przez szyby, jak w mieście powoli zapada zmrok. Myślałam o moim najgorszym dniu.

Zaraz po powrocie do domu zaszyłam się w swojej tajnej bazie pod stołem. Przeglądałam Tajny Dziennik. Uzupełniałam zapiski o Gadule i o pani Flamenko: Jutro mamy kółko hiszpańskiego. Razem z Florą i Anielą zastanawiamy się nad dalszymi krokami w sprawie. Mamy sprytny plan podejścia pani Flamenko.

Kiedy tak siedziałam i rozmyślałam o śledztwie, usłyszałam nagle:

– Em, co cię zagnało do kryjówki pod stołem?

To mama. Bezszelestnie dostała się do pokoju. Nie byłam wystarczająco czujna!

– Eee... Tak tutaj obraduję – mruknęłam.

– I tak zupełnie sama? – Mama nie dawała za wygraną.

– Przywódcy zwykle są samotni. – Westchnęłam.

– Jasne – wesoło zawołała mama. – Wyłaź! Będziesz mi przewodzić w przygotowywaniu muffinków.

– Nie wierzę! Robisz ciasto? – Naprawdę byłam zdziwiona.

Mama się obruszyła.

– O, przepraszam – zaprotestowała. – W zeszłym roku robiłyśmy drożdżówki z jagodami.

– No i obiecałaś, że to ostatni raz. Dałaś trzy razy więcej mleka, niż było w przepisie. I na dodatek te bułeczki miały ten... no za... – zapomniałam zupełnie, jak nazywa się to coś, przez co nie można jeść upieczonego ciasta.

– Zakalec – dokończyła mama. – Owszem. Wyszło nam pięć blach drożdżówek. Jakieś pięćdziesiąt bułek. Pomyliłam proporcje. Miało być pięćdziesiąt mililitrów mleka do rozpuszczenia drożdży. Ja dałam pięćset mililitrów.

– Czyli pół litra – uściśliłam. – Więc z jakiej okazji te muffinki?

– Niedługo Halloween. Możemy zrobić przerażające ciastka! – Mama wykrzywiła się jak jakiś potwór.

– Powiedzmy, że się zgadzam. Mogłabym je zabrać na imprezę do Karol – stwierdziłam nadąsana.

– Na imprezę? – Mama uniosła brwi.

– Karol, no wiesz, taka dziewczynka z mojej klasy, zaprasza na wspólne zbieranie cukierków – wyjaśniłam i poczłapałam za mamą do kuchni.

Na stole leżały już wszystkie składniki do muffinków: mąka, jajka, mleko, cukier, przyprawy i proszek do pieczenia.

– Musimy jeszcze obrać marchewki. – Mama trzymała w ręku chyba pół tuzina pomarańczowych korzeni.

– Muffinki z marchewki? Znowu ekologiczne? – Skrzywiłam się.

– Przepyszne muffinki z ciasta marchewkowego. Takie jakie robi ciocia Julia. No, prawie takie... – rozmarzyła się mama i chwyciła za nożyk do skrobania warzyw.

Kiedy pół tuzina marchewek (he, he... już wiem, ile to jest pół tuzina! Mieliśmy to na matematyce) leżało sobie na stole, połączyłyśmy wszystkie składniki. Miałyśmy pełne ręce roboty! Ja wbijałam jajka do mąki – to najbardziej lubię. Powstaje wtedy świetny glut! A mama pozwala mi zanurzać ręce i mieszać. Sprytniejszy ode mnie jest jednak mikser, lepiej się sprawdza. Tak było i tym razem. Potem trzeba tylko było zetrzeć marchewkę i mogłyśmy nalewać ciasto do foremek. A już wkrótce podglądałyśmy przez okienko w piekarniku, jak rosną nasze muffinki. Z malutkich babeczek szybko stały się olbrzymami.

– Fajne! – ucieszyłam się. I zabrałam się za przygotowywanie flag z trupimi czaszkami do ozdabiania ciastek.

– Babeczki będą gotowe za dwadzieścia minut – uspokoiła mnie mama, gdy pokazałam jej gotowe flagi. – A tymczasem powiedz mi, co się dzisiaj wydarzyło?

– Ech… – Westchnęłam. – To jest mój najgorszy dzień w życiu.

– Dlaczego? – dociekała mama.

– Najpierw się okazało, że gdzieś zapodziała mi się linijka. I nasza pani wysłała mnie do 3A, do sali obok, żebym pożyczyła. A wiesz chyba, kto uczy się w 3A?

Mama zrobiła minę, jakby nie miała o tym pojęcia.

– Lu-cek – wycedziłam.

– Ale co jest strasznego w pożyczaniu linijki? I w tym że Lucek jest w 3A? – zdziwiła się mama.

– Jak to co? Musiałam wejść do starszej klasy. Do klasy Lucka, który mi się podoba! – wykrztusiłam.

– No tak, musiało cię to wiele kosztować – zgodziła się mama.

Popatrzyłam na nią z uznaniem. Czasami można było na nią liczyć. Ale natychmiast sobie przypomniałam, co jeszcze spotkało mnie dzisiejszego dnia.

– Potem miałam potyczki ortograficzne. Nasza pani powiedziała, że wprawdzie to konkurs dla drugich klas, ale mam pójść i zobaczyć, jak to wygląda. I nie uwierzysz, co się stało! – wyrzuciłam z siebie.

– Co? – Mama zagrzmiała jak echo.

– A to! – odpowiedziałam i wygrzebałam z teczki kartkę z konkursu.

– *Chatka druha stała w lesie, wśród zwierzyny i pachnących jeżyn oraz krzewów, które drużyna przywiozła z gór* – przeczytała mama jednym tchem.

Tylko że na kartce było napisane:

*Chatka drucha stała w lesie, wśród zwierzyny
i pahnących jerzyn oraz krzewów, które
drurzyna przywiozła z gór.*

Nie byłam pewna, co mama o tym myśli. Na wszelki wypadek zapytałam:

– No i co?

– No wiesz… – zaczęła ostrożnie.

– Ale powiedz! – naciskałam.

– Nie jest to wynik mistrza ortografii – odpowiedziała.

– Sama widzisz. To mój najgorszy dzień w życiu!

– Opowiem ci pewną historię. Kiedy byłam w trzeciej klasie podstawówki, przeżyłam prawdziwą ortograficzną katastrofę – zaczęła mama. – Czułam się tak strasznie, że płakałam przez całą drogę powrotną ze szkoły.

– Sama wracałaś ze szkoły? – zdziwiłam się.

– To były inne czasy. Szkoła była bardzo blisko. Wszystkie dzieciaki chodziły same. Spotykaliśmy się na ulicy przed szkołą i biegliśmy całą grupą – opowiadała. – Ciocia Jula była wtedy malutka i babcia nie pracowała. Czekała na mnie z obiadem. Weszłam do domu, a moje łzy dosłownie zalały korytarz.

– Ale co się stało? Uderzyłaś się? Twoje koleżanki przestały cię lubić? – dopytywałam.

– Dostałam pierwszą dwóję w życiu. Zrobiłam trzy błędy w dyktandzie. Napisałam ogórek przez u otwarte, późno przez u otwarte i odzież przez rz – przyznała się mama.

– Odzież to wyjątek. Zawsze piszemy przez ż. Jak papież, młodzież, montaż – wypaliłam.

– Dzisiaj to wiem. Ale wtedy to ja miałam najgorszy dzień w życiu. Potem nauczyłam się ortografii i zostałam prawdziwym mistrzem.

– Myślisz, że ja też mogłabym zostać mistrzem? – zapytałam ostrożnie.

– To wymaga pracy. Mogłabyś założyć słownik trudnych wyrazów – zaproponowała mama.

– Słownik? – zdziwiłam się. – To nie można sprawdzać wyrazów po prostu w Internecie?

Wtedy mama wyjaśniła mi, że mogłabym zilustrować mój własny słownik. I że najlepiej się uczyć, wykorzystując obie półkule mózgu. Jedna półkula odpowiada za pisanie, logiczne myślenie i słuchanie, a druga za wszystkie twórcze działania – formy, kolory i rytm. A kiedy półkule współpracują, wtedy jest najlepiej. Ciekawe! To się może przydać w Klubie! Musimy uruchomić obie półkule w naszych dochodzeniach.

A później mama wyjęła z piekarnika nasze upiorne marchewkowe muffinki. Zgasiłyśmy światło i przy świecach ozdabiałyśmy je, żeby były jak najbardziej przerażające.

– Nasze muffinki będą siały postrach – podsumowałam, patrząc z podziwem na wypieki.

– W naszym kraju rzadko obchodzi się Halloween – powiedziała mama i dodała: – To zwyczaj popularny w Stanach Zjednoczonych i w Anglii, i związany jest ze świętem zmarłych, które tam obchodzi się radośnie. W Polsce to dzień modlitwy i zadumy.

– Ale mogę pójść na imprezę do Karol, prawda? – zapytałam, martwiąc się, czy będziemy mogły skonsumować potworne babeczki.

– Jasne – potwierdziła mama. – W Halloween będziecie zbierać cukierki. A następnego dnia wspólnie zapalimy znicze na grobach.

Nazajutrz, kiedy spotkałam się z Florą, od razu jej opowiedziałam o pracy obu półkul. Zrobiła znudzoną minę.

– Mama ciągle mi opowiada o półkulach. O mapach myśli. Myślisz, że coś mi to daje, kiedy muszę wkuć na pamięć wiersz?

– Myślałam, że możemy pracować obiema półkulami w Tajnym Klubie! – wypaliłam.

– Jak chcesz. Ale ja nie będą robić żadnych map. Ani pracować półkulami. – Flo wzruszyła tylko ramionami i odwróciła się na pięcie.

Zostałam sama. Lecz nie na długo. Za chwilę była już przy mnie Karol i potrząsając blond lokami, szczebiotała:

– Emi, pamiętaj o imprezce Halloween. Masz już przebranie?

– Jakie przebranie? – Byłam zaskoczona.

– Jak to? To nie wiesz, że na Halloween trzeba się przebrać? – zaskrzeczała mi nad uchem.

Spojrzałam na nią przymrużonymi oczami i powlokłam się do klasy. Mega. Jeszcze to. Przebranie na Halloween! Naprawdę interesowało mnie dzisiaj tylko jedno – kółko hiszpańskiego. Na przedostatniej lekcji Flora, Aniela i ja miałyśmy się spotkać przed salą językową. Planowałyśmy porozmawiać z panią Flamenko na temat papug. Zamierzałyśmy zrobić dokładnie tak, jak radziła nam Konstancja.

Po dzwonku na przerwę po szóstej lekcji Aniela i ja wystartowałyśmy pod salę hiszpańskiego. Zanim dołączyła do nas Flora, minęło kilka minut. I wtedy Aniela zaskoczyła nas całkowicie. Z albumu o papugach, który nadal trzymała u siebie, wyjęła niewielką karteczkę.

– Czy wiecie, co to jest? – Pomachała nam papierkiem przed nosami.

– Zwykła kartka – zgodnie z prawdą odpowiedziała Flo.

– A nie! To jest lista zakupów dla... papug! – triumfalnie obwieściła Aniela.

– Jak to? – zdziwiłam się.

– A tak to! – potwierdziła Aniela. – Przeglądałam dzisiaj rano album. Myślałam, że znajdę coś nowego. I nagle wydało mi się, że śnię: w spisie treści tkwiła ta kartka.

Aniela zaczęła czytać:

Gaduła: brokuły, kukurydza, gruszka.
Pucuś: ananas, brukselka, pietruszka.

– Gaduła i Pucuś... – powtórzyła Flo.

W tym momencie drzwi klasy otworzyły się i pojawiła się w nich pani Flamenko. Na jej twarzy malowało się zaskoczenie.

– Wszystkie zapisujecie się na kółko hiszpańskiego? Ciebie, Gacek, już znam.

– Wszystkie! – Flora stanęła prawie na baczność. – Bo my bardzo kochamy papugi. I wiemy, że ma pani papugę żako.

Pani Flamenko zamaszystym ruchem zgarnęła nas do klasy i usadziła w ławkach. Jakby nigdy nic rozpoczęła zajęcia.

– Poczekamy, aż zapełni się klasa. *Uno, dos, tres!*

Wtedy odezwała się Aniela:

– Co lubi jeść Pucuś?

Wydało mi, że pani Flamenko zbladła. Spojrzała lodowatym wzrokiem na naszą trójkę i wycedziła:

– Pucuś? Jaki znowu Pucuś?!

– Pani papuga... żako – wyjąkałam.

– A wy skąd wiecie o mojej papudze? – zagrzmiała pani Flamenko.

– Papugi to nasza pasja! – do odpowiedzi wyrwała się Flora. – Wypożyczyłyśmy album o papugach ze szkolnej biblioteki.

Na dowód tego Aniela wyciągnęła książkę.

– To właśnie pani z biblioteki powiedziała nam, że ma pani papugę z gatunku żako – oznajmiłam.

– Wspaniały, wspaniały Pucuś. – Pani Flamenko zmieniła ton i uśmiechnęła się do nas promiennie.

Wtedy do klasy wpadła rozwrzeszczana gromada. Już do końca lekcji ćwiczyliśmy *uno, dos, tres* i tak dalej.

Kiedy kółko się skończyło, pani Flamenko szybko zebrała swoje rzeczy i wybiegła z klasy.

– Pomknęła niczym torpeda – zauważyła Flora.

– Skoro Pucuś istnieje, to Gaduła też ma się dobrze – przytomnie zauważyła Aniela, spoglądając na kartkę z zakupami dla papug.

ŻNIWA, NAGRODA GOOGLE I ŻONA ŚWIĘTEGO MIKOŁAJA

W naszej szkole ogłaszanych jest zwykle mnóstwo konkursów. Są konkursy plastyczne, muzyczne, ortograficzne, matematyczne i dramatyczne. Z okazji Bożego Narodzenia, Halloween, a nawet Święta Pluszowego Misia. Można w nich zdobywać nagrody. Flora prawie nigdy nie bierze udziału w konkursach. Uważa, że zajmują za dużo czasu, a nagrody wcale nie są takie wyjątkowe. Ale teraz jest konkurs Google*, w którym można zdobyć nawet dwadzieścia tysięcy złotych! Tajny Klub Superdziewczyn (czyli Aniela, Flo, ja, no i może Fau, pod warunkiem że nie zdradzi

---

* Google – najpopularniejsza wyszukiwarka internetowa na świecie.

nic swojemu bratu Felkowi) chce w nim powalczyć. Potrzebujemy funduszy na specjalistyczny sprzęt do drukowania własnej gazetki. Mega, no nie?

– Co można kupić za dwadzieścia tysięcy złotych? – zapytałam tatę, bo poważnie myślałam o udziale w konkursie.

– Jakieś dwadzieścia tabletów – mruknął, nie odrywając oczu od gazety o architekturze.

– Pytam serio – odparowałam.

– Dziesięć baaardzo, bardzo drogich torebek – wtrąciła się mama. – Z najdroższego sklepu w mieście...

Tata z niewyraźną miną spojrzał na nią znad gazety.

– Chcę wiedzieć naprawdę. Co może kupić dziecko za dwadzieścia tysięcy złotych? – zezłościłam się i powędrowałam do swojego pokoju. Wywiesiłam na drzwiach kartkę: TYLKO DZIECI TUTAJ WCHODZĄ. A potem zaszyłam się w kryjówce pod stołem. Starałam się obliczyć, ile klocków Lego mogłabym kupić za taką sumę.

Po chwili rozległo się pukanie do drzwi. Najpierw udawałam, że nie słyszę. Pukanie powtórzyło się raz, a potem drugi.

– Proszę – burknęłam w końcu.

Przez szparę w drzwiach zobaczyłam głowy mamy i taty.

– Hm… – Tata chrząknął. – Przyszliśmy porozmawiać z tobą o pieniądzach.

– Właśnie. – Mama wydawała się bardzo zdenerwowana. – Skąd ci przyszło do głowy, że mogłabyś wydać tak wielką sumę pieniędzy?

Nastąpiła cisza. Rodzice patrzyli na mnie wyczekująco, ale ja milczałam. Ich głowy sterczały przez drzwi. Wyglądało to bardzo zabawnie.

– Wejdźcie – zaprosiłam ich w końcu do pokoju.

– Może ktoś obcy proponował ci taką sumę? Na przerwie, obok szkoły, po szkole? – dopytywała mama.

– Po pierwsze, nie możemy na przerwie wychodzić ze szkoły – odpowiedziałam rzeczowo. – Najwyżej na plac zabaw. A wtedy jest z nami nasza pani, która pogoniłaby każdego obcego.

– Tak. Wasza, o przepraszam, „nasza pani" jest bardzo skuteczna – potwierdził tata. I podjął przerwany wątek: – Mówiąc wprost, jesteśmy zaintrygowani twoim pytaniem. I zaniepokojeni. Dzieci w twoim wieku nie potrzebują takich pieniędzy.

– Bo gdyby ktoś w szkole, na osiedlu albo gdziekolwiek proponował ci pieniądze, natychmiast nam o tym powiedz – weszła mu w słowo mama.

– Po drugie, ja po prostu chciałam wygrać główną nagrodę od Google – wyrzuciłam z siebie.

Dorośli! Zawsze się denerwują! Rodzice odetchnęli.

– Aa! Google-doodle! – natychmiast ożywił się tata. – Jaki w tym roku mają temat konkursowy?

– „Polska moja ojczyzna" – odpowiedziałam. – Prace trzeba składać do piątku. Trzeba mnie zarejestrować, wydrukować szablon na konkurs i wypełnić druczek. A potem wysłać pracę.

– Mnóstwo roboty – podsumował tata i westchnął. – A jaki masz pomysł?

– To wymaga pracy – posłużyłam się jego ulubionym powiedzeniem. – Muszę przygotować coś przefajnego. – I zaraz dodałam coś, czego miałam później pożałować: – Potrzebujemy funduszy na sprzęt dla Tajnego Klubu Superdziewczyn.

– To Tajny Klub jeszcze działa? – zdziwił się tata.

– Oczywiście! – odpowiedziałam urażona. – I jest na tropie nowej zagadki.

Mama, jakby w ogóle nie słyszała mojej rozmowy z tatą, wyliczała rozmarzona:

– W takim razie może narysujesz wierzby płaczące? Albo fortepian Chopina i na jego tle napis „Google"?

Tata spojrzał na nią karcąco.

– To już było, Justyś. Polska szkoła plakatu. Emi powinna wypracować coś oryginalnego. Coś świeżego. I pokazać, że Polska jest i tradycyjna, i nowoczesna.

Wtedy wpadłam na pomysł.

– Pogadam z Konstancją – oznajmiłam. – Może coś mi podpowie? Za dwa dni mamy kolejną lekcję.

Bardzo się już stęskniłam za długowłosym Konstantym i za Stefanem jeżem. Byłam też ciekawa, co Konstancja ma do powiedzenia na temat Gaduły.

– Uruchom wyobraźnię – polecił tata. – No i pamiętaj – Google funduje stypendium! Ale to jest fundusz na naukę, a nie wyposażanie tajnych klubów.

Ja jednak nadal się zastanawiałam, jaki sprzęt mogłybyśmy kupić do Klubu. Przydałyby się nam też nowe klocki Lego! W końcu tata mówi, że Lego rozwija wyobraźnię! Może Google zgodziłby się na to?

Zabrałam się więc za zbieranie pomysłów do projektu na konkurs. Nawet poprosiłam mamę o karton i zaczęłam gromadzić w nim pomysły. Po prostu spisywałam albo rysowałam na kartkach, jak mogłoby wyglądać takie logo Google. Dziewczyny też miały przynieść swoje prace.

Tata też ma karton na pomysły. Postawił go w kącie pokoju i trzyma w nim różne wycinki, skrawki gazet i stare pocztówki. Mówi, że to efekt jego badań nad współczesną architekturą. Lubię tam grzebać. Kiedyś to nawet weszłam do środka tego kartonu, gdy był wypełniony do połowy wycinkami i różnymi karteluszkami. Ale dostałam burę i dowiedziałam się, że zadeptałam ważne koncepcje. Znowu nieznane słowo!

Aż do wtorku gromadziłam pomysły. W środę czekały mnie w szkole test z przyrody i przedstawienie z angielskiego. Musiałam wziąć się do roboty. Na dodatek za nic nie mogłam się nauczyć, jaka jest droga od ziarenka do bochenka.

– Twój pradziadek był młynarzem! – grzmiała mama. – Zapamiętaj: rolnik sieje ziarno, które później kiełkuje i wreszcie rośnie.

No tak. Kiedy mama opowiadała, jak powstaje chleb, wydawało się to takie proste. Po prostu b a-n a l n e! Zasiane zboża kiełkują, potem dojrzewają. Późnym latem zaczynają się żniwa. Po żniwach ziarno jedzie do młyna, w młynie powstaje mąka, mąka trafia do piekarni, a w piekarni piecze się chleb. Wreszcie chleb jedzie do sklepu i tak ląduje na naszych stołach.

– A jak są żniwa, to przyjeżdża jakaś maszyna – uzupełniłam.

– Ta maszyna to kombajn – stwierdziła z westchnieniem mama.

– Kombajn – powtórzyłam.

Ale zaraz wszystko mi się pomieszało.

– To co będzie, kiedy rolnik już wykiełkuje? – zapytałam.

Mama wyglądała na bardzo niezadowoloną. Przypomniała mi, że nasza rodzina pochodzi ze wsi. I że naszym obowiązkiem jest wiedzieć, jak wygląda życie na wsi. I szanować tradycję i historię naszych przodków.

– Według światowych statystyk dopiero w tym roku liczba ludności mieszkającej w miastach przekroczyła liczbę osób mieszkających na wsi – zauważył, bardzo mądrze zresztą, tata.

– I? – zapytałam.

– To oznacza, że dotąd większa część świata mieszkała na wsiach – wytłumaczył tata.

– I wszyscy mieli kombajny, żeby jeść chleb? – zapytałam.

Tata spojrzał na mnie karcąco.

– Niekoniecznie. Niektórzy korzystali z uprzejmości innych mieszkańców, którzy takie kombajny posiadali. A jeszcze inni po prostu chodzili do sklepów. Co więcej – mówił dalej – w niektórych krajach w ogóle chleba nie jedzono. Głównym pożywieniem był na przykład ryż. W Chinach albo w Korei ryż do dziś jest traktowany jak chleb.

Skrzywiłam się. Ale przynajmniej już zapamiętałam, że rolnik sieje, a ziarno kiełkuje. Banalne. I że w Chinach głównym pożywieniem jest ryż. Mega. Uwielbiam ryż. Mogłabym mieszkać w Chinach. Tyle

że to bardzo daleko od domu. Mama pokazała mi na globusie.

Kiedy tak dyskutowaliśmy o drodze od ziarenka do bochenka, przypomniałam sobie nagle, że mamy jutro ważną próbę do świątecznego przedstawienia. Święta były dopiero za kilka tygodni, ale na lekcjach angielskiego już rozpoczęliśmy przygotowania. Dziewczyny z klasy wrobiły mnie w rolę żony Świętego Mikołaja.

– Ja nie chcę być żoną Świętego Mikołaja! – wrzasnęłam.

– Co ma wspólnego żona Świętego Mikołaja z chlebem? – próbowała zrozumieć mama.

– Pomyślmy. – Tata podrapał się po głowie. – Każda żona jest strażnikiem ogniska domowego. Ognisko domowe to chleb. Chleb to ziarno...

Nie skończył jednak tej historii, bo mama rzuciła w niego kapciem. Wsadził więc nos w czasopismo na temat wielkich budynków i nie mówił już nic.

A ja byłam obrażona. Znowu nikt mnie nie rozumiał!

– Rola żony Świętego Mikołaja jest bardzo ciekawa – próbowała przekonywać mnie mama. – W końcu w przedszkolu Aniela i ty ciągle bawiłyście się w żony.

– To już nie wróci – wyrwało się tacie i oberwał drugim kapciem.

– Ślub to co innego – oświadczyłam. – Ale żoną Mikołaja nie będę.

Wtedy tata zadał mi proste pytanie:

– Czy masz jakiś wybór? Czy są inne role do obsadzenia?

Zamyśliłam się. A potem spojrzałam na nich oboje i odpowiedziałam ze złością:

– Nie ma innych ról.

Okręciłam się na pięcie i poszłam do swojego pokoju. Postanowiłam zapoznać się z kwestią żony Świętego Mikołaja. Na szczęście była banalna. Chociaż po angielsku! Żona Mikołaja martwiła się o prezenty i o dzieci, które mogłyby ich nie dostać.

Przed snem wyrecytowałam wszystko mamie. Poinformowałam ją też, że na przedstawienie muszę być ubrana na czerwono.

– Jak to żona Mikołaja. Tylko skąd weźmiemy tyle czerwieni? – Mama otworzyła szafę i rozpoczęła poszukiwania czerwonej garderoby.

– Czerwona od stóp do głów. – Westchnęłam i spokojnie zasnęłam. Ja. Żona Świętego Mikołaja.

Następnego dnia mieliśmy w szkole próbę generalną do przedstawienia. Występowali w nim narrator, elfy, renifer, Święty Mikołaj i naturalnie jego żona. Może to jednak lepiej, że nią zostałam? Ubranie elfa składa się z zielonej sukienki i zieloniutkich rajstop.

Fuu! A on sam musi opowiadać różne historie, przede wszystkim, że być elfem jest przefajnie. Ale chyba najgorsze jest to, że jego rola jest trzy razy dłuższa niż żony Mikołaja. I wcale przez to nie ważniejsza.

Nie to jednak było wydarzeniem na próbie. Narrator, czyli Karol (wiadomo, Karol lubi rządzić!), nadal nie zdążyła nauczyć się roli.

– Byłam naprawdę zajęta – wyjaśniła pani od angielskiego. Tej, do której nie wolno się spóźniać.

– Karol, popraw się na jutro! – zagrzmiała pani.

– Oczywiście – przytaknęła Karol i odrzucając do tyłu swoje blond loki, dodała: – Po prostu wczoraj byłam na bardzo ważnej premierze.

Przewróciłam oczami i spojrzałam na Anielę. Nie do wiary! Narrator jest najważniejszy prawie w każdym przedstawieniu. A nasz po prostu nawalił. Więc próba generalna nie powiodła się. Powiodło się za to coś zupełnie innego.

Na długiej przerwie złapała mnie Flora i zaalarmowała:

– Zbieraj się i ściągnij Anielę!

– Nie możemy, idziemy całą klasą na obiad. Nasza pani nas nie puści – odpowiedziałam zgodnie z prawdą.

– Lepiej coś wymyślcie. – Flo się wykrzywiła. I dodała konspiracyjnym szeptem: – Wzywa nas pani Flamenko!

Zrobiłam wielkie oczy.

– Po co? Przecież dzisiaj nie ma kółka.

– Jest w świetnym nastroju. Coś się wydarzy. Zbiórka przed klasą! – wrzasnęła Flora i pobiegła dalej.

Nie miałam dobrych przeczuć. Co też chciała od nas pani Flamenko? Aniela również nie była zadowolona.

– Dziwne – skomentowała. – Będę głodna. Ale pójść musimy.

Niepewnie zapukałyśmy do pracowni języka hiszpańskiego. Flora była już w środku. Jakby nigdy nic wesoło rozprawiała sobie z panią Flamenko. Dołączyłyśmy do nich. Flora trzymała w ręku zdjęcie, które natychmiast nam pokazała.

– To Pucuś – oświadczyła.

Na zdjęciu widać było całkiem zwykłą szarą papugę.

– Kochany Pucuś! – Pani Flamenko uścisnęła Florę.

Aniela i ja spojrzałyśmy na siebie porozumiewawczo. Ho, ho! Czyżby to początek wielkiej przyjaźni?

– Muszę lecieć niedługo do domu – oznajmiła pani Flamenko. – Pucuś wręcz nie cierpi, kiedy mnie nie ma. Kochane ptaszysko.

– Ptaki mogą się denerwować. Mogą nawet mieć depresję – zauważyłam.

Pani spojrzała na mnie z zainteresowaniem.

– Depresję? Skąd o tym wiesz?

– Nasza pani od rysunków jest behawiorystką. To znaczy takim doktorem od psychiki zwierząt – wyjaśniła Flora.

– Hm… Bardzo ciekawe. Doktor od psychiki zwierząt – powtórzyła pani Flamenko, po czym zebrała swoje rzeczy i pożegnała się krótkim: – Lecę!

Rzeczywiście była już w locie, kiedy zatrzymała ją Aniela.

– Chyba zgubiła pani listę zakupów – powiedziała i wręczyła jej tajemniczą karteczkę z albumu.

Pani Flamenko uważnie przyjrzała się kartce. Potem zmierzyła nas zimnym spojrzeniem, ale nic nie powiedziała, tylko roześmiała się głośno.

– O! To z czasów, kiedy dokarmiałam Gadułę.

Zmięła kartkę w kulkę i wrzuciła ją głęboko do torby, którą miała na ramieniu.

– Ale co się mogło stać z Gadułą? Taka piękna papuga! – Aniela próbowała wydobyć coś z pani Flamenko.

– Już mnie nie ma! – zawołała tamta i zniknęła nam z oczu.

Po jej wyjściu Flora wrzasnęła na całą klasę:

– Jak mogłaś jej to dać?! To nasz jedyny dowód w sprawie!

Aniela spokojnie wyjęła z teczki identyczną kartkę.

– To była kopia. Oryginał mam tutaj – ogłosiła triumfalnie.

– Fiu, fiu! – skomentowała Flora. – Sprytna jesteś.

Aniela uśmiechnęła się i wyjaśniła rzeczowo:

– Tak się robi. Oglądałam wszystkie filmy o Bondzie*.

Flora klepnęła ją po ramieniu. To był najwyższy dowód uznania w Klubie. Chyba jednak trochę przesadziła. W końcu to ja byłam szefową! I to ja powinnam rozdawać pochwały albo nagany. Jak nasza pani. Zaraz jednak o tym zapomniałam, bo przyjechał po mnie tata. Całą drogę do domu omawialiśmy projekt na konkurs Google. „Polska moja ojczyzna".

---

* Bond – James Bond, superagent brytyjskiego wywiadu, bohater powieści i filmów sensacyjnych, postać wymyślona przez pisarza Iana Fleminga.

Chyba w końcu sama będę reprezentować Tajny Klub Superdziewczyn. Narysuję te wierzby płaczące i słońce nad nimi. Wierzby pokoloruję na różowo. Przecież Polska jest kolorowa i radosna!

WRÓŻBY. WRÓŻKI. WRÓŻEK

Projekt na konkurs Google został wysłany. Liczyłam po cichu, a Flora głośno, że go wygramy i że dostaniemy całą masę pieniędzy. Wydamy je na zakup różnych urządzeń dla Tajnego Klubu. Przede wszystkim kupimy dyktafon, żebym nie musiała więcej podkradać go mamie. Zamienimy podsłuchiwacz ręcznej roboty na profesjonalny. Rozejrzymy się za lornetką, która zbliża co najmniej dwanaście razy i ma wystarczająco duży obiektyw. A... i aparat fotograficzny! Porządny aparat, nie jakąś dziecięcą zabawkę. Naszym udziałem w konkursie zainteresowała się nawet mama Flo. Obiecała nas dofinansować, jeśli Google nie doceni naszej pracy.

A tymczasem przyszły Andrzejki.

Pani Laura i mama postanowiły urządzić wieczór wróżb. Pierwszy raz słyszę o tym, aby z powodu imienin były takie hece. Co innego Halloween! Na zabawie halloweenowej, którą organizowała Karol z mojej klasy, było naprawdę świetnie. Chodziliśmy od domu do domu w przebraniach czarownic i duchów. Było nas chyba z tuzin (czyli dwanaścioro!). Śpiewaliśmy piosenki i krzyczeliśmy: cukierek albo psikus, a każdy częstował nas cukierkami. Zebraliśmy ich kilka siatek. Mama twierdzi, że przynieśliśmy dwa kilogramy niezdrowych i nieekologicznych słodyczy pełnych ulepszaczy. Nie wiem, co jest złego w zwykłych cukierkach. Uwielbiam je! Szczególnie te zawijane w kolorowe błyszczące papierki.

Na imieniny Andrzeja na pewno nie będzie ani ciastek, ani czekoladek. Nuda.

Planujemy za to obrady Tajnego Klubu Superdziewczyn. Sprawa pani Flamenko i papugi Gaduły utknęła w martwym punkcie. Pani Flamenko wykręca się, jak może. Musimy ją przycisnąć do muru!

Około siódmej wieczorem większa część Tajnego Klubu była już na miejscu – to jest: Aniela, Faustyna (na szczęście bez Felka) i ja. Gadałyśmy sobie o szkole i o wampirach, kiedy z hukiem wpadły do naszego domu panie Zwiędły. Taszczyły gigantyczne pudło.

– To się nazywa wielkie wejście – skomentował tata i dał nura do swojego pokoju, twierdząc, że nie będzie jedynym rodzynkiem w babskim towarzystwie.

Żałowałam, że nie wymknęłam się za nim!

– Dziewczyny, jak wspaniale was widzieć! Mamy całe pudło kostiumów. Zróbmy bal przebierańców! – Pani Laura wyściskała wszystkich i wszystko.

Popatrzyłam na Florę i skrzywiłam się. A miały być obrady! Za to mama uśmiechnęła się z uznaniem i oznajmiła:

– Andrzejkowy bal przebierańców!

Pudło zostało otwarte. Faustyna i Aniela wetknęły nosy do środka. Patrzyły z przejęciem na to, co kryło się wewnątrz. Flora wyciągała kostium za kostiumem. Najpierw wyjęła błyszczące królewskie szaty i koronę wysadzaną kamieniami. Potem strój Czerwonego Kapturka i maskę wilka. Dalej suknie księżniczek. Pewnie Roszpunki i Kopciuszka. Raczej był to strój Śnieżki, bo zaraz pojawiło się jabłko. Na pewno zatrute, jak w tej bajce. Na koniec Flora wyciągnęła peruki, maski i jeszcze coś bardzo zmiętego i bardzo zielonego. To był pokryty łuskami płaszcz, za którym dyndał długi ogon.

– Smok! – obwieściła.

– Biorę go. – Aniela natychmiast zaczęła przymierzać to coś. – Będę smoczycą!

W tym czasie Pani Laura przebrała się w królewski strój, a mama założyła perukę. Była to wielka szopa rudych włosów niezdarnie upiętych w warkocze.

– Jestem Pippi Langstrumpf*! – przedstawiła się.

– Wiesz, Pippi była chyba trochę młodsza – prychnęłam.

Ale mama i tak bawiła się dobrze. Przykleiła sobie kilka piegów i od razu wdała się w rozmowę z panią Laurą. Za to mama Flo zakleiła sobie jedno oko i została hersztem piratów. Ci dorośli! Co z nich wyrośnie!

Ja nie miałam wyboru. Ze sterty sukienek wybrałam strój Czerwonego Kapturka. Nie chciałam robić przykrości Anieli, która nie cierpi księżniczek. Flora za to chwyciła maskę wilka i zaczęła mnie gonić wzdłuż korytarza.

Tylko Faustyna za nic nie mogła się zdecydować na żaden kostium.

– Wybrałyście świetne stroje, a mnie nie zostało nic – dąsała się.

Flora złapała więc perukę z czarnymi potarganymi włosami i żółte zwariowane okulary.

Wręczyła to Fau i oświadczyła:

– Będziesz Willym Wonką.

---

* Pippi Langstrumpf, bohaterka książki *Pippi Langstrumpf* autorstwa Astrid Lindgren.

Spojrzałyśmy na nią zdziwione.

– Ej! Nie znacie Willy'ego Wonki? – Flora podrapała się po głowie. – To właściciel największej fabryki czekolady na świecie. Naprawdę! Oglądałam taki film *Charlie i fabryka czekolady* i mama podrzuciła mi książkę.

Nadal patrzyłyśmy na nią zdziwione. To przecież było niepodobne do Flory.

– Fajna jest – wyjaśniła Flo. – Ta książka oczywiście. Fabryka czekolady zresztą też.

– Obrady – przerwałam jej. – Zanim zagonią nas do wróżenia, zacznijmy obrady.

Mama i pani Flora były zajęte przeglądaniem czasopism, więc wymknęłyśmy się chyłkiem na miejsce obrad, czyli do mojego pokoju. Usiadłyśmy w kręgu i chwyciłyśmy się za ręce. Smoczyca, wilk, Czerwony Kapturek i Willy Wonka. Spojrzałyśmy na siebie i szeptem rozpoczęłyśmy recytację klubowego zawołania.

Karaluchy, szczypawki, pająki.
Padalce, jaszczurki i żmije.
Nie boimy się was, dziwolągi!
Nocne mary czy włóczykije.
Straszenie nie ujdzie wam płazem!
W Tajnym Klubie trzymamy się razem!
Nic u nas nie wskóra płaczka,
Chwalipięta, samolub, zakalec,
Tchórz, jędza i zarozumialec!
Tajny Klub to jest superpaczka!

Ledwie skończyłyśmy, kiedy skrzypnęły drzwi i do pokoju wślizgnęła się... Konstancja!

Wybałuszyłam oczy.

– Konstancja? Co ty tu robisz? Przecież nie mamy lekcji rysunku.

– Będziesz wróżką? – zainteresowała się Flo.

– Przechodziłam obok – odpowiedziała Konstancja i chociaż nie miała przebrania, wcisnęła się w nasz krąg. Obok postawiła szczelnie zakryty koszyk. Potem wyciągnęła rękę kolejno do Anieli i Faustyny i przedstawiła się:

– Konstancja jestem.

Pytająco popatrzyłyśmy na koszyk.

– A, Stefan jeż! – Konstancja zorientowała się, że jesteśmy skupione tylko na koszyku.

Rozsupłała materiał, którym nakryty był koszyk, otworzyła klapki, wyjęła jeża i postawiła go w środku kręgu.

Stefan jeż szybko zwinął się w kuleczkę. Konstancja pozwoliła nam go głaskać.

– Jaki milusi – zachwycała się Fau.

– Nie kłuje! – wtórowała jej Aniela.

Flora spojrzała na mnie porozumiewawczo – my znałyśmy Stefana jeża już bardzo dobrze.

– Zaczynamy naradę – huknęłam.

Rozpoczęła Flora:

– Przypuśćmy, że pani Flamenko ma Gadułę. Ale czy my mamy dowody?

– Gaduła zniknęła, kiedy pani Flamenko i pan Ogórkiewicz opiekowali się szkolnym zwierzyńcem – zauważyła Faustyna.

– Mamy listę zakupów, na której zapisana jest karma dla Gaduły – dodała Aniela.

– Wiemy, że pani Flamenko ma własną papugę. Ale Gaduły nie widziałyśmy. – Westchnęłam.

– Ale czy lista zakupów nam nie wystarczy? Przecież znalazłyśmy ją w albumie o papugach – upierała się Aniela.

Konstancja przytulała Stefana jeża i uważnie przysłuchiwała się naszej rozmowie.

Wtedy Flora zwróciła się właśnie do niej:

– Będziesz lekarzem od zachowań zwierząt. Na pewno wiesz, co powinnyśmy zrobić.

– Tak, będę behawiorystą – przyznała Konstancja. – I mam dla was interesującą informację.

Zastrzygłyśmy uszami.

– Ja też zrobiłam dochodzenie w sprawie Gaduły. Amazonki żółtoszyje to bardzo specjalny gatunek papug. Klub hodowców papug śledzi losy tych ptaków. Wiadomo, kto je kupuje i kto się nimi opiekuje. Zapytałam o Gadułę. I wiecie co?

– Taaak? – wrzasnęłyśmy chórem.

– Jest dość znana przez specjalistów – powiedziała Konstancja. – Słuch o niej zaginął mniej więcej wtedy, kiedy wywieszono ogłoszenie w waszej szkole.

– Eeeee – mruknęła rozczarowana Flora. – To nadal nic nie wiemy.

Konstancja uśmiechnęła się tajemniczo.

– Coś się wyjaśniło. Pani Gloria Carlos Flamenko zarejestrowała kilka tygodni temu papugę. I nie była to szarobura papuga żako. To była amazonka żółtoszyja!

Oczy wyszły nam na wierzch.

– Oooo! Czyżby to była Gaduła?

– To nie jest pewne. Przy rejestracji nie ma konieczności podawania imion – odparła Konstancja.

– I co teraz? – zastanowiła się Flora.

– Nadal uważam, że powinnyście porozmawiać z panią Glorią – odpowiedziała Konstancja.

– Ale my jesteśmy tylko dziećmi – zauważyła Aniela. – Pani Flamenko nas nie posłucha.

– Jesteście Tajnym Klubem Superdziewczyn – odparła Konstancja. – Dacie sobie radę.

W tym momencie nasze obrady zostały przerwane. Do pokoju wkroczyły Pippi Langstrumpf i herszt piratów. Czyli mama i pani Laura.

– Czas na wróżby! – zawołała pani Zwiędły.

Konstancja pożegnała się szybko i wybiegła ze Stefanem jeżem zapakowanym z powrotem do koszyka.

Wyszłyśmy z pokoju. Mieszkanie było spowite ciemnością. Tylko z salonu biło światło, i tam się właśnie kierowałyśmy.

– Jak pięknie! – zawołała Fau, kiedy znalazłyśmy się w salonie.

To zapalone świece dawały tyle blasku. Było ich mnóstwo, różnej wielkości i w różnych kolorach. Płomyki ognia raz wystrzeliwały w górę, raz tliły się nieśmiało. Znowu usiadłyśmy w kręgu. Mama przyniosła garnek z wodą, a pani Laura dwa ciężkie metalowe klucze.

– Najważniejszy andrzejkowy zwyczaj to lanie wosku. I odgadywanie, co oznacza cień figury, która utworzyła się na wodzie – powiedziała mama.

Lanie wosku było mega. Mogłabym to robić bez końca. Wylewałyśmy wosk ze stopionych świeczek, a potem przelewałyśmy go przez klucz.

– Zobaczcie, but! – Pokazałam moją pierwszą figurę, która dawała taki właśnie cień na ścianie.

– Dostaniesz nowe buty! – skomentowała Flora.

Wcale mnie to nie zachwyciło. Nie lubię dostawać ubrań ani butów.

Mama uśmiechnęła się zagadkowo. Włochy są w kształcie buta... Hm... Czyżby szykowała się daleka podróż? Za to Flora wylała wosk w kształcie ptaka.

– To przecież papuga! – oceniła Faustyna.

– Gaduła! – krzyknęłyśmy chórem.

Pani Laura odsłoniła drugie oko i przyjrzała się nam uważnie.

– Ta papuga ze szkolnego zwierzyńca? – zapytała.

– A, tak. Tyle że nie ma jej w szkole. Zaginęła – odparła Flora.

Pani Laura zasmuciła się.

– Szkoda. A była taka rozmowna.

– Nie martw się, mamo. Tajny Klub Superdziewczyn odzyska Gadułę – oświadczyła Flora.

I to właśnie nie spodobało się żadnej z nas. To przecież była nasza tajemnica. Pani Laura uśmiechnęła się tylko i dalej lałyśmy wosk. Potem jeszcze rzucałyśmy za siebie obierki jabłka i odgadywałyśmy, co oznaczają te kształty. Ustawiałyśmy też w szeregu buty, żeby wywróżyć, która z nas pierwsza dostanie wymarzony prezent. I jeszcze przebijałyśmy serce z literami wypisanymi na drugiej stronie. Ja trafiłam na literę L. Mega! Bo przecież imię Lucka jest właśnie na L!

Na ostatnie wróżby dołączył do nas tata.

– Miło, że razem wróżymy – cieszyła się pani Laura. – A wróżba twojej córki to wycieczka do Włoch. Tak więc trzymaj się za portfel! – Po czym zwróciła się do mnie: – Twój tata został wróżkiem!

– Chyba wróżbitą – sprzeciwił się tata.

A kiedy się okazało, że jego woskowy cień także przypomina but, dał nura do swojej pracowni. Ale heca!

PANI FLAMENKO I FLAMENCO

Wreszcie przyszła ta chwila. Czas na rozmowę z panią Flamenko i wyjaśnienie zagadki Gaduły! A może nawet jej uwolnienie i sprowadzenie do szkolnego zwierzyńca? Odbędziemy poważną rozmowę z panią Flamenko. Konstancja miała rację – jesteśmy przecież Tajnym Klubem Superdziewczyn i razem możemy więcej!

Ale kiedy zgasły andrzejkowe świece i znalazłyśmy się w szkole, odwaga nas opuściła. Za nic nie mogłyśmy zdobyć się na to, aby wdrapać się po schodach na drugie piętro, do sali hiszpańskiego. I stanąć twarzą w twarz z panią Flamenko.

Podczas przerwy śniadaniowej Aniela zaproponowała:

– Przełóżmy tajną operację na jutro. Czuję, że dzisiaj nam się to nie uda.

Flora, której udało się zaklepać miejsce na śniadaniu tuż obok naszej klasy, za nic nie chciała się zgodzić:

– Nie ma mowy! Jeśli dzisiaj się poddamy, już nigdy nam się nie uda.

Racja! Przecież byłyśmy superpaczką!

– Hej, Aniela! Raz kozie śmierć. Musimy działać – poparłam Flo.

W końcu jako szefowa Tajnego Klubu miałam coś do powiedzenia. Aniela wzruszyła ramionami i do końca przerwy nie odzywała się do nas wcale. Wyszło jednak tak, jak chciała. Okazało się, że dzisiejsze kółko hiszpańskiego jest odwołane. Taką wiadomość przyniosła Faustyna.

– Nici z rozmowy – powiedziała najspokojniej na świecie. – Pani Flamenko nie ma w szkole.

– Jak to nie ma?! – wrzasnęła Flo. – To po co odrabiałam zadanie domowe? W jeden wieczór nauczyłam się liczyć od jednego do dziesięciu!

– Na następne kółko będziesz umiała na medal – pochwaliła ją Aniela.

– A to już jutro – przypomniała Faustyna.

Flora zrobiła kocie oczy, odwróciła się na pięcie i ruszyła przed siebie. Po kilku krokach zatrzymała się. Zrobiła podskok, wymachując w powietrzu nogami, i... wróciła do nas.

– W sumie to nawet nieźle wyszło – przyznała. – Bo mam genialny pomysł!

Spojrzałyśmy na nią pytająco.

– Właśnie sobie przypomniałam, że mam w domu hiszpańskie sukienki i wachlarze.

– Znowu bal przebierańców? – Westchnęłam.

Aniela wzięła się pod boki i wypaliła:

– Ostrzegam! Nie założę sukienki księżniczki! Nie cierpię księżniczek.

– Ja też wolę spodnie – dodała Fau.

– Więc po co mamy się stroić w sukienki? – nie dawałam za wygraną.

– To proste! I banalne – twardo powiedziała Flora. – Na następnym kółku hiszpańskiego wystąpimy jako tancerki flamenco.

– I? – rozłożyłam ręce. – Co to w ogóle jest flamenco?

– To hiszpański taniec. Zaciekawimy panią Flamenko naszym występem. Przekona się, że jesteśmy bardzo zainteresowane nauką hiszpańskiego. Będziemy dyskutować, aż wreszcie coś powie o Gadule! I tak zdobędziemy nasz dowód.

– Świetny plan, no nie? – Flora była zachwycona własnym pomysłem.

– A co, jeśli nie powie nam nic? – zainteresowała się Aniela.

– Przypuśćmy, że wtedy przyciśniemy ją do muru – odpowiedziała Flo. – Będziemy pytać ją tak długo, aż wreszcie się zdradzi.

Aniela z niedowierzaniem pokiwała głową.

Wieczorem w domu zapytałam tatę, czy wie, jak wygląda hiszpańska sukienka.

– Eee… – wyjąkał. – Nie znam się na hiszpańskich sukienkach. To nie jest moja dziedzina. Ale zaraz bardzo się ożywił i wykrzyknął: – Za to znam Schody Hiszpańskie! Poczekaj, zaraz ci pokażę!

Pobiegł do swojej jaskini i wrócił z grubaśnym albumem.

– O! Tutaj! Popatrz tylko. To są właśnie Schody Hiszpańskie. To jeden z najważniejszych placów w Rzymie.

– A czy Rzym jest w Hiszpanii? – zapytałam.

– No nie, to stolica Włoch. Ale nic nie stoi na przeszkodzie, aby właśnie we Włoszech były Schody Hiszpańskie – odparł tata.

– Te Włochy są w kształcie buta, prawda? – zainteresowałam się. – To ten kraj, który wyszedł mi we wróżbach. Czyli że tam pojadę. Pojedziemy – poprawiłam się po chwili namysłu. – Przecież tobie też wyszedł but!

Tata w popłochu zamknął album i powiedział:

– Zmówiłaś się z mamą. Nie będziemy robić żadnych zakupów we Włoszech. Ani zimą, ani latem.

Po czym zabrał album i poszedł w kierunku swojej pracowni.

– Tato! Ja chcę jeść! – krzyknęłam za nim.

Mama do jutra była w delegacji (czekałam na pamiątki, które ma mi przywieźć), a ja nie zamierzałam przymierać głodem.

Tata wrócił i zrobił mi szybką kolację. Na talerzu leżały parówka, chleb i ogórek.

– Parówka jest kwaśna. Nie lubię chleba ze skórką. – Skrzywiłam się. – I mama każe mi jeść pietruszkę albo paprykę. Na odporność.

Tata otworzył lodówkę, zajrzał do środka i oznajmił:

– Nie mamy pietruszki ani papryki. Wyszły.

– Dzieci muszą jeść pełnowartościowe posiłki. Słyszałeś o piramidzie żywieniowej? Mieliśmy o tym w szkole – odpowiedziałam. – A w naszym sklepie ekologicznym kupisz wszystko.

Tata pokiwał głową, lecz nawet nie wstał z miejsca, aby wyskoczyć po zakupy.

– Mama jest specjalistką od ekologicznej żywności. Poczekajmy na nią.

– Ale zanim mama wróci, ja umrę z głodu! – zapiszczałam bardzo cienkim głosem. – Słyszysz? Mój głos jest już taki słaby...

– To chyba nie z braku pietruszki? – zaciekawił się tata.

Nic nie wskórałam.

Następnego dnia w szkole, w czasie przerwy śniadaniowej, Flora znowu usadowiła się obok nas.

– Ty chyba nie jesteś z 1D! – obruszyła się Karol, widząc, jak Flo przysuwa się do mnie.

– Nie jestem. – Flo przymrużyła oczy. – Ale mogę zajmować miejsca tam, gdzie chcę.

– Ciekawe – syknęła Karol. – I ciekawe, co na to powie nasza pani!

– Jestem w samorządzie – oświadczyła z wyższością Flo. – Zbieram informacje na temat tego, czy pierwszaki zadowolone są z posiłków w szkolnej stołówce.

Karol odwróciła się jak niepyszna i zajęła się swoim śniadaniem.

– Jesteś w samorządzie? – zapytałam Florę szeptem. – Mówiłaś o chórze, ale o samorządzie nigdy.

– Chciałam zostać przewodniczącą samorządu – odpowiedziała. – Ale zabrakło mi kilku punktów. To prawie tak, jakbym była, no nie? I dodała: – Są ważniejsze sprawy. Mam hiszpańskie sukienki. Pudło ukryłam w szatni obok sali gimnastycznej. Zbiórka na przerwie obiadowej.

Z niecierpliwością czekałam do południa. Zjadłyśmy z Anielą tylko drugie danie i pognałyśmy w kierunku sali gimnastycznej. Tam, w szatni dziewcząt, czekała już na nas Flora, wystrojona w czerwono-czarną falbaniastą sukienkę w grochy. Wyciągnęłyśmy z pudła pozostałe stroje.

– Uff... – Aniela oddychała z trudem. – Moja jest jakaś wąska.

– Ciesz się, że to nie jest ubranie Kopciuszka – odparła Flora.

Aniela wzięła wachlarz do ręki i zrobiła kilka kroków, udając, że tańczy.

Wtedy do szatni wpadła zdyszana Faustyna.

– Hej, dopiero skończyłam obiad! – tłumaczyła swoje spóźnienie.

Za chwilę przebiegłyśmy w zwartym szeregu przez korytarz, w kierunku schodów prowadzących na drugie piętro. Było pusto. Nie zwracałyśmy niczyjej uwagi.

Do czasu! Kiedy byłyśmy na ostatnim stopniu i już prawie biegłyśmy do sali hiszpańskiego, drogę zagrodził nam... Lucek!

– Eeee... Co ty tu robisz? – wyjąkałam, zasłaniając się wachlarzem.

– To chyba ja powinienem o to zapytać. Pierwszaki nie wchodzą na drugie piętro – odpowiedział.

– Ona jest ze mną, a druga klasa już może – włączyła się Flora.

Lucek uśmiechnął się od ucha do ucha i obejrzał nas bardzo uważnie.

– Ale jesteście wystrojone! Bal przebierańców dopiero za kilka tygodni – skomentował.

Wtedy mu wyjaśniłam, że mamy występ u pani Flamenko i bardzo się spieszymy na kółko hiszpańskiego.

Lucek bardzo się ożywił.

– Pani Flamenko to moja ulubiona nauczycielka! Hiszpański to moja... moja pasja! – wyjąkał. – Jaki to występ?

– Będziemy tańczyć fla... flamenco – wymamrotałam bardzo zawstydzona.

– Super! – Lucek był pełen entuzjazmu. – Szkoda, że nie zobaczę.

– Możemy zrobić próbę – zaproponowała Flora, a ja o mało nie spaliłam się ze wstydu. Miałam tańczyć przed Luckiem?!

Ale dziewczyny już zaczęły wirować, a falbany ich sukni podskakiwały do góry. Trwało to dobrą chwilę. Wreszcie zdyszane przystanęłyśmy.

– No i co? – spytała Flora.

Lucek podrapał się po głowie i zrobił niewyraźną minę.

– Mów! – nalegała.

– Flamenco tańczy się trochę inaczej. O tak! – odpowiedział i zrobił kilka posuwistych kroków, unosząc do góry ręce.

Przykucnęłyśmy ze skwaszonymi minami.

– Nici z naszego planu – stwierdziła Aniela. – Taniec jest słaby i pani Flamenko nam nie uwierzy.

Opowiedziałam krótko Luckowi o naszym planie odnalezienia papugi Gaduły.

– Gaduła... – rozczulił się Lucek. – Tak bardzo jej brakuje w szkolnym zwierzyńcu. Mam pomysł! Wy macie suknie, a ja wiem, jak zatańczyć flamenco. Mogę wam pomóc.

Wyciągnął z plecaka zeszyt i zaczął rysować na kartce strzałki, które pokazywały, jak powinnyśmy tańczyć.

– To jest choreografia – wyjaśnił. – Widziałem u taty w teatrze.

Błyskawicznie zrobiłyśmy drugą próbę.

– Lepiej! – pochwalił nas Lucek.

Rozległ się dzwonek.

– Zbieramy się! – wrzasnęła Flora. – Pani Flamenko jest już w klasie!

– Powodzenia! – Lucek się uśmiechnął.

Też się uśmiechnęłam w odpowiedzi. On jest przefajny!

GADAJ, GADUŁO!

Znalazłyśmy się przed salą hiszpańskiego. Flora wyciągnęła rękę, aby zastukać do drzwi. I właśnie w tej samej chwili drzwi się otworzyły i stanęła w nich pani Flamenko. We własnej osobie!

– Cóż to? Dziewczyny spóźnione, ale wystrojone! – zawołała i zgarnęła nas do klasy.

– Bo my chciałyśmy zatańczyć! – oznajmiła Aniela, kiedy posłusznie pakowałyśmy się do ławek.

Uff! Dobrze, że to powiedziała. Myślałam, że już po nas. Zaraz zaczęłoby się liczenie *uno, dos*... i tak dalej.

– Zatańczyć? – zdziwiła się pani Flamenko.

– A tak. Specjalnie dla pani. Taniec flamenco! – zawołała Flora i wszystkie wyskoczyłyśmy pod tablicę.

Pani Flamenko wzięła się pod boki.

– Moje miłośniczki kółka hiszpańskiego! Cóż za niespodzianka! Ale... bez muzyki nie można tańczyć flamenco.

Pogrzebała w kieszeni ukrytej między falbanami spódnicy i wyjęła z niej złoty kluczyk.

– To kluczyk do mojej sekretnej szafki. Trzymam tutaj cenne rzeczy – oświadczyła. – Pamiątki z Hiszpanii. Magnetofon. Płyty z hiszpańską muzyką. I moją hiszpańską sukienkę!

Popatrzyłyśmy na siebie: a więc nie było tutaj papugi Gaduły. Cały plan na nic.

– To może innym razem zatańczymy flamenco... – wyjąkałam.

– Absolutnie nie! – zaprotestowała pani. – To wspaniały przedświąteczny prezent.

Otworzyła szafkę i wyjęła z niej magnetofon. Bardzo nowoczesny i bardzo ładny. Podłączyła urządzenie do prądu i natychmiast popłynęły dźwięki muzyki. Stałyśmy zawstydzone.

– Dalej, dziewczyny – zachęciła nas pani Flamenko i pierwsza ruszyła do tańca. – Zanim pojawią się kolejni spóźnialscy.

Dołączyłyśmy do niej i zaczęłyśmy tańczyć, dokładnie tak, jak pokazał nam Lucek. I nasze suknie wirowały jak szalone, a cały świat wokół wraz z nimi.

Ale dopiero pani Flamenko pokazała nam, jak się tańczy! Dumnie uniosła głowę, potem ręce i klaszcząc, przesuwała się między tablicą a ławkami. Stanęłyśmy wokół niej i kołysałyśmy się na boki.

Wreszcie zabrzmiały ostatnie takty muzyki. Padłyśmy zdyszane na podłogę. W środku naszego kręgu usiadła pani Flamenko. W ciszy słychać było tylko nasze przyspieszone oddechy. To była ta chwila. Spojrzałam na Florę. Niech zaczyna – w końcu jest najstarsza. Ale Flora wcale nie kwapiła się do rozmowy.

„Mega – pomyślałam. – Czyli ja muszę zacząć. W końcu jestem szefową Tajnego Klubu".

Wtedy odezwała się pani Flamenko:

– Nie widzę dzisiaj więcej chętnych na kółko hiszpańskiego. Może więc opowiem wam o tańcu flamenco? Flamenco to nie tylko taniec – to historia opowiedziana tańcem.

– My wolimy porozmawiać o papugach! – wykrztusiłam.

Widziałam, że dziewczyny popatrzyły na mnie z uznaniem.

Za to pani Flamenko spojrzała na nas ze zdziwieniem.

– O papugach? No dobrze. Mam bardzo nieśmiałą papugę. To Pucuś. Bardzo chorowity okaz – zaczęła.

– A Gaduła? – wyrzuciła z siebie Flora. – Gdzie jest Gaduła? Cała szkoła ją uwielbia!

– Martwimy się o nią! – dodała Fau.

– Gaduła jest w dobrych rękach – uspokoiła nas pani Flamenko. – Przyznaję, że na początku kilka razy musiałam pożyczyć ją ze szkoły, aby dotrzymywała towarzystwa mojemu Pucusiowi. Kochany Pucuś... – rozczuliła się. I dodała po chwili: – Kiedy dowiedziałam się od was o psychologu zwierzęcym, od razu umówiłam się na spotkanie. Okazało się, że niewiele potrzeba, aby Pucuś stał się pogodny i zechciał sam zostawać w domu.

– Ale co z Gadułą? – przerwała jej Flora.

– Gaduła jest w dobrych rękach – powtórzyła pani Flamenko. – Sporo przeszła. Najpierw ją porzucono, potem jakiś czas przebywała z Pucusiem. Wspólnie z panem Ogórkiewiczem postanowiliśmy, że wróci do szkoły. Najpierw jednak musi przejść terapię u waszego zwierzęcego psychologa. – Uśmiechnęła się zagadkowo. – Konstancja zajmie się Gadułą wprost idealnie!

Wymieniłyśmy porozumiewawcze spojrzenia. Co tu jest grane?!

– Konstancja? – ostrożnie zapytała Flora.

– Psycholog zwierząt. Behawiorystka! – wesoło zawołała pani Flamenko. – Wprawdzie pani Konstancja zajmuje się głównie psami, ale nie odmówi przecież naszej Gadule.

– Ma też jeża – dorzuciła Fau.

– Z pewnością będzie miała wiele zwierząt. A teraz pozwólcie – zmykam. Pucuś mnie potrzebuje.

Pani Flamenko zebrała swoje rzeczy, spakowała magnetofon do tajnej szafki i zamknęła ją na złoty kluczyk.

– Proszę nam jeszcze wyjaśnić – poprosiłam panią Flamenko – co było w gadającej paczce?

– Gaduła. Musiałam ją zabrać do szkoły, bo zaczęła bardzo dokuczać Pucusiowi – wyjaśniła pani i po chwili byłyśmy już same w sali hiszpańskiego.

– Tajny Klubie! – przerwałam ciszę. – Nasza kolejna zagadka została rozwiązana!

– Taak... – zgodziła się Aniela. – Pani Flamenko była naprawdę podejrzana.

– Przyznała się. I zabrała Gadułę, aby ratować Pucusia – próbowała ją bronić Fau.

– Uważam, że udział Tajnego Klubu był ważny w całej sprawie – stwierdziła Flo. – Gdybyśmy nie zainteresowały się gadającą paczką, nie wiadomo, jaki byłby los Gaduły. I Pucusia.

Miałyśmy wyśmienite humory!

– TAJNY KLUB TO JEST SUPERPACZKA! – zawołałyśmy i pobiegłyśmy do świetlicy, bo już dawno było po dzwonku.

Po wyjaśnieniu tajemnicy papugi Gaduły dni mijały całkiem spokojnie. Aż przyszedł ostatni tydzień przed świętami i wielki szkolny kiermasz na Boże Narodzenie. Każda klasa urządzała swój własny kram i wystawiała własnoręcznie wykonane ozdoby. Zbieraliśmy w ten sposób pieniądze dla dzieci, które nie mają rodziców. Nasza pani zaproponowała, abyśmy zrobili lukrowane jabłka. Będą i zdrowe, i słodkie. Ucieszyłam się, bo uwielbiam lukier! Okazało się jednak, że to nie jest wcale takie proste. Trzeba pokroić jabłka i wyciąć z nich gniazda z nasionami. Potem zrobić lukier: cukier puder wymieszać z białkiem jajka. A na koniec oblać jabłka tym lukrem.

Potrzebowaliśmy też pomocy jednej z mam. Zgłosiłam więc moją mamę. Kiedy zakomunikowałam jej to, nie była zbyt szczęśliwa.

– Przecież wiesz, że mam dwie lewe ręce do pieczenia ciast.

– Ale upiekłyśmy przecież marchewkowe muffinki na Halloween – odpowiedziałam.

Mama, narzekając, że tata znowu wyjechał budować nowy dom i nie może jej wyręczyć w lukrowaniu jabłek, poczłapała ze mną do szkoły. I okazało się, że jest najlepszym sprzedawcą na całym kiermaszu! Nasza klasa zebrała dużo pieniędzy, bo mama sprzedawała lukrowane jabłka po pięć złotych. Były pyszne i każdy chciał ich spróbować.

Za to świąteczne przedstawienie po angielsku okazało się wielką klapą. Karol czytała rolę narratora z kartki! A przecież wiadomo, że narrator jest najważniejszy w każdym spektaklu. Aniela i ja zaśpiewałyśmy świąteczną piosenkę. O śniegu, który ciągle pada. O tym, że jest czas prezentów. I czas na śpiewanie kolęd. Miałyśmy na sobie takie same sukienki z błyszczącego materiału (mama je uszyła któregoś wieczoru). A Lucek, Flora i Fau wystąpili w chórze podczas szkolnych jasełek. Lucek miał rolę króla, który przynosi do szopki złoto.

Ale prawdziwym zaskoczeniem było pojawienie się pani Flamenko z papugą!

– Czy to jest Pucuś? – zapytałam grzecznie, kiedy pani Flamenko odwiedziła naszą klasę.

– Pucuś boi się obcych. Nadal nie może opuszczać domu – wyjaśniła pani. – To jest Gaduła.

Gaduła wyprężyła się na ramieniu pani Flamenko. Jej lśniące zielone pióra odbijały się od czarnej bluzki pani. Na głowie i na karku miała żółtawe plamki. Patrzyła na nas mądrze. Pobiegłam szybko po Florę i Fau, bo przecież nie wybaczyłyby nam, gdyby nie mogły zobaczyć Gaduły.

– Oooo! – wyraziła swój podziw Flora. – Gadaj, Gaduło – dodała po chwili.

Wszyscy wokół wybuchnęli śmiechem.

A Gaduła na chwilę rozłożyła skrzydła i zaskrzeczała:

– Ale heca!

Tak, to na pewno była nasza szkolna Gaduła.

Tego roku kolację wigilijną jedliśmy u państwa Zwiędły. Było bardzo uroczyście. Pani Laura zadbała, aby podano dwanaście potraw, jak każe tradycja. Tylko Flora nie była zadowolona.

– Myślałam, że w święta mogę sobie wybrać pizzę.

– Florciu, co rok dyskutujemy o tym samym. Wigilia to tradycyjna kolacja. Któż słyszał o tym, żeby jedzono w jej trakcie pizzę?

– Pizza to tradycyjna potrawa ubogich włoskich wieśniaków – mruknął tata.

– Tych od Schodów Hiszpańskich w Rzymie? – ożywiłam się.

– O! To jedziemy do Rzymu! Na zakupy! – dorzuciła mama.

Tata spojrzał na nas z rozpaczą w oczach i dołożył sobie drugą porcję pierogów z kapustą i grzybami.

I wtedy odwiedził nas Święty Mikołaj! Wpakował się z wielkim worem na sam środek pokoju i zawołał:

– Czy są tu grzeczne dzieci?

Flora zapiszczała z radości. Dziwię się jej, że nadal wierzy w Świętego Mikołaja. Wiedział o nas wszystko! Nawet to, że mamy Tajny Klub! Nasze prezenty były świetne. Dostałam jacht do układania. Oczywiście nie prawdziwy, tylko z klocków Lego, ale było m e g a. Flora dostała najpierw rózgę, ale potem Mikołaj ulitował się nad nią i mogła rozpakować swój prawdziwy prezent. To był globus, który musiała sama pokolorować. Przefajnie! Na koniec Mikołaj obwieścił, że ma coś jeszcze – to była paczka dla Tajnego Klubu Superdziewczyn. Rzuciłyśmy się na wielkie pudło:

w środku była lornetka. Mega! Mogłyśmy jej użyć już teraz, żeby wypatrzyć pierwszą gwiazdkę, która do tej pory nie pojawiła się na niebie.

Na koniec jeszcze pokłóciłam się z Flo. O Świętego Mikołaja. Ja uważam, że Mikołajem był jej tata. Po pierwsze, kiedy Mikołaj pojawił się w domu, pan Zwiędły nagle zniknął. Po drugie, Mikołaj miał takie same buty jak tata Flo. Widziałam, jak wystają mu spod płaszcza piękne błyszczące lakierki. Święty Mikołaj ma wielkie śniegowce. Tam gdzie mieszka, nie nosi się lakierków!

Ale Flora była innego zdania.

– Mikołaj istnieje! – upierała się.

Po kolacji poczłapaliśmy do domu. Każde z nas czuło się bardzo zmęczone. Tata był przejedzony, mama się martwiła – na przyszły rok pani Laura zapowiedziała rewizytę. To oznaczało, że rodzina Zwiędłych przychodzi na Wigilię do nas. Mama prawie zemdlała, kiedy usłyszała tę wiadomość.

– Gość w dom, Bóg w dom! – tak to podsumował tata. A potem wtulił się w Czekoladę, która drzemała na kanapie. Ciocia Julia spędzała święta w Nowym Jorku, więc wierna psina świętowała z nami, Gackami.

– Julia to ma fajnie. Central Park. Ślizgawka w Rockeffeller Plaza. Zakupy. Piąta Aleja... – rozmarzyła się mama.

– Eeee – powątpiewał tata. – Siedzenie w hotelu z obcymi.

Chwilę później ciocia Julia połączyła się z nami przez komputer. Pokazała nam wielkiego Mikołaja z najsłynniejszego w Nowym Jorku sklepu z zabawkami i powiedziała, że ma bardzo, ale to bardzo fajnie. I że w przyszłym roku musimy wybrać się tam razem. Bo ta ślizgawka jest naprawdę świetna.

Mama spojrzała z nadzieją na tatę.

– To jest pomysł! Może zaproponujemy to Zwiędłym? I nie będzie rewizyty!

To jest pomysł! Tajny Klub Superdziewczyn mógłby prowadzić dochodzenie w Nowym Jorku! W końcu mamy doskonałe wyposażenie.

JAK ZAŁOŻYĆ TAJNY KLUB.
PORADNIK

1. Jeśli macie już swój niepowtarzalny pomysł na Klub, to super. Jeśli nie – nic straconego. Skorzystajcie z naszych porad.

2. Wymyślcie dla waszego Klubu cel – może to być Klub Czytelników, Klub Budowniczych Zamków z Piasku albo Klub Fanów Filmów. Możecie założyć Klub Pomocników i pomagać w opiece nad maluszkami na waszym osiedlu. Tajemniczo brzmi Klub Przyjaciół Czarownic. Pamiętajcie: nie ma złych pomysłów!

3. Teraz wymyślcie nazwę. Może być bardzo poważna albo zabawna. Co myślicie o Klubie Szalonych Biedronek?

4. Przygotujcie zasady, którymi będziecie się kierować w waszym Klubie. Wystarczy kilka ważnych ustaleń. Jeśli uda się wam przestrzegać tych zasad,

pozostaniecie pogodni i zgodni. Przykładowe zasady to: pomagamy sobie wzajemnie, a decyzje podejmujemy demokratycznie.

5. Ustalcie, kogo chcecie zaprosić do Klubu. Zaproponujcie udział w Klubie tym osobom, z którymi będziecie fajnie się bawić.

6. Przygotujcie zaproszenia, rozdajcie je osobom, z którymi chcecie stworzyć Klub. Jeśli wszyscy odpowiedzą na wasze zaproszenia, Klub będzie miał swoich członków.

7. Na przyjęcie nowych członków Klubu możecie przygotować krótki test lub krzyżówkę. Oni sprawdzą swoje siły, a wy się przekonacie, czy naprawdę są zaangażowani.

8. Opracujcie wspólnie odznakę Klubu. Co dwie lub więcej głów, to nie jedna.

9. Zróbcie pierwsze, tajne spotkanie Klubu i omówcie pierwsze ważne tematy. Wybierzcie szefa Klubu.

10. Hurra! Tajny Klub może już działać!

Andrzejkowa wróżba Emi sprawdza się.
Dziewczynka wyjeżdża z mamą do Wielkiego Buta,
czyli do Włoch. I to na koncert!
W nowym roku do klasy Emi dołącza Luciano z Mediolanu,
a cała 1D wyjeżdża na zimowisko w góry.
Przyjaciółki z Tajnego Klubu zapisują się do szkoły musicalu.
W przeddzień wielkiego spektaklu giną teatralne rekwizyty.
Nikt nie wie, co się z nimi stało.
Przedstawienie wisi na włosku. Sprawą tajemniczego
zniknięcia cennych przedmiotów zajmie się Tajny Klub
Superdziewczyn. Czy dziewczynki odzyskają
rekwizyty i uratują honor szkoły?

Wszystkiego dowiesz się z trzeciej części
o przygodach Emi i Tajnego Klubu Superdziewczyn.

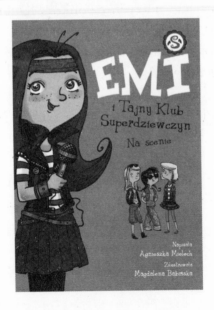

O AUTORKACH

Agnieszka Mielech

Autorka tekstu i pomysłu serii o Emi. Wychowała się na magicznym i zielonym Podlasiu, gdzie jej pasja pisania zaowocowała publikacjami w magazynach, które przed laty były oknem na świat dla ówczesnych nastolatków. Profesjonalnie i z pasją zajmuje się filmem z nurtu komercyjnego. Nadal ma duszę dziecka – uwielbia miejsca stworzone specjalnie dla dzieci, jak Disneyland, do którego nieraz jeszcze powróci. Mama Basi, która narysowała portret głównej bohaterki serii – Emi.

Magdalena Babińska

Autorka ilustracji do serii o Emi. Żona, matka, ilustratorka. Mama Matyldy, która stanowi dla niej niekończące się źródło inspiracji. Ilustruje publikacje dla najmłodszych, takie jak np. książeczki *Zgaduj z CzuCzu* (też jest jego mamą, bo powstał spod jej ołówka). Jest współtwórczynią dzienniczków firmy Brioko, które pomagają młodym mamom zorganizować opiekę nad maluchami. Ilustruje podręczniki do szkół. Rysuje przygody swojej córki na rodzinnym blogu: www.masebi.blogspot.com.

Jej prace można znaleźć tu: www.dedodesign.pl.

SPIS TREŚCI

Projekt okładki, stron tytułowych oraz ilustracje: Magdalena Babińska
Redaktor inicjujący: Marta Lenartowicz
Redaktor prowadzący: Joanna Liszewska
Redakcja i korekta: Julia Celer

Skład: www.pagegraph.pl
Druk i oprawa: Interdruk, Warszawa

Grupa Wydawnicza Foksal sp. z o.o.
ul. Foksal 17, 00-372 Warszawa
tel. 22 828 98 08, 22 894 60 54
e-mail: biuro@gwfoksal.pl
www.gwfoksal.pl

ISBN: 978-83-280-0635-5

Książkę wydrukowano na papierze Ecco Book Cream 80 g/m^2, vol. 2.0
dostarczonym przez Antalis Poland sp. z o.o.